Voorbij

Van Bobje Goudsmit verscheen ook:

Gepakt

Voorbij

Bobje Goudsmit

Van Holkema & Warendorf

Voor Frans-Willem

ISBN 978 90 475 0827 4
NUR 284
© 2009 Uitgeverij Van Holkema & Warendorf,
Unieboek BV, Postbus 97, 3990 DB Houten

www.unieboek.nl
www.bobjegoudsmit.nl

Tekst: Bobje Goudsmit
Omslagfoto's: Howard Kingsnorth/Getty Images en Daniel Gale
Ontwerp omslag en binnenwerk: Ontwerpstudio Bosgra BNO, Baarn
Zetwerk binnenwerk: ZetSpiegel, Best

In dit boek komen fragmenten voor uit de songtekst 'I want to break
free' van Queen.
Used by permission of EMI Publishing Holland BV

Proloog

Toen Linde die zaterdagmiddag van Anet hoorde wat er gebeurd was, stond ze net op het punt haar kamer eens flink uit te mesten. Haar moeder liep al dagenlang te klagen dat ze de deur van haar kamer amper nog open kon krijgen, maar Linde had zich niks van haar gezeur aangetrokken. Ze leerde nu eenmaal het gemakkelijkst als ze met alle schoolboeken, aantekeningen en oude proefwerken om zich heen verspreid lekker languit op de grond lag, met het raam wijd open en een mooie cd op.

'Na de proefwerkweek sleep ik meteen een vuilniszak naar boven om alles weg te kieperen,' had ze haar moeder beloofd. 'Please, mam, maak je geen zorgen! Voordat we met vakantie gaan, heb ik de troep allang weer opgeruimd.'

Op dat moment voelde Linde zich best weer gelukkig. Ze had zich gisteren door de laatste proefwerkdag heen geworsteld en wist vrijwel zeker dat ze over was. Alle onvoldoendes van de afgelopen periode had ze kunnen wegwerken. Volgend jaar vijf havo, dacht ze zelfvoldaan, en dan *tada tada*, nooit meer naar school!

Maar eerst ging ze lekker vakantie vieren. Ze verheugde zich er super op om met Jonne, Anet en Floor, haar beste vriendinnen sinds de brugklas, een beetje rond te trekken in Frankrijk. Daarna ging ze nog twee weken met haar ouders en zusje mee.

Hoewel... samen met dat monster van dertien in een kleine tent bivakkeren? Met haar ochtendhumeur en stinksokken en kauwgomverslaving? Dat klonk bijna als een nachtmerrie. Maar ja, ze had het nu eenmaal beloofd.

Merel en zij scheelden drie jaar. Vroeger was dit een kolossaal leeftijdsverschil, toen ze Linde nog als haar grote voorbeeld beschouwde. Maar sinds Merel dit jaar in de brugklas was gaan puberen, vond ze alles wat haar zus van zestien zei opeens stom. Vlak voordat Anet belde, had Linde haar aan haar verstand proberen te brengen dat ze in die nieuwe heupbroek hartstikke voor gek liep. Haar string was aan de achterkant veel te duidelijk zichtbaar.

'Er gaan altijd van die idioten aan trekken. Ik zou hem maar ruilen als ik jou was.'

Natuurlijk vluchtte Merel weg voor haar mening. Ze stormde haar kamer uit, smeet de deur achter zich dicht en schreeuwde halverwege de trap: 'Je wordt bedankt! Dit model is toevallig hartstikke in de mode, maar jij bent ook zo'n hopeloos antieke trut! Zelfs oma ziet er achter de rollator nog moderner uit dan jij!'

Linde besloot deze opmerking als niet gehoord te beschouwen. Ze was dol op haar grootmoeder, die in een verzorgingstehuis vlak bij hen in de buurt woonde. Haar oma was slecht ter been en kwam amper nog de deur uit. Maar ze was altijd blij en vol belangstelling als Linde even bij haar langs wipte.

Terwijl Linde nog nasudderde van ergernis over Merels irritante reactie, ging haar mobiel. Op de display stond Anets naam. Een halve seconde overwoog ze om niet op te nemen, want ze hadden elkaar vandaag al twee keer gesproken. Maar ze vond het ook wat flauw van zichzelf. Anet was een echte controlfreak, die steeds gestrester werd nu hun vakantie daadwerkelijk voor de deur stond.

Kortaf nam ze het telefoontje aan: 'Hoi! Alles is nu toch in orde? Of zit je je soms te vervelen?'

Het bleef stil aan de andere kant.

Dit was voor Anets doen nogal vreemd. Die was in staat om ter plekke een aanleiding te verzinnen waarom ze nu weer moest bellen. Linde mocht haar graag, hoewel ze van de drie meiden haar minst intieme vriendin was. Maar dat lag ook een beetje aan Anet zelf: die kon behoorlijk eigenwijs en drammerig uit de hoek komen, terwijl Jonne en Floor een veel relaxtere instelling hadden en meer met je meeleefden.

Ongeduldig zei ze: 'Hallo, als je niet snel wat zegt, hang ik op. Ik heb nou echt geen tijd meer. Ik ben mijn kamer aan het opruimen.'

Toen klonk Anets stem kleintjes in haar oor: 'O Linde, heb je het al gehoord? Zo vreselijk!'

In haar hoofd gingen opeens alarmbellen rinkelen en ze kreeg een raar voorgevoel. 'Wat moet ik gehoord hebben? Dat je het laatste proefwerk per ongeluk verknald hebt en nu niet meer mee kunt met vakantie? Vanwege een herkansing?'

Een flauw grapje, Anet had haar daar een paar weken geleden juist zelf voor gewaarschuwd.

Maar dat was het niet. Het was iets heel anders. Toen Anet vertelde dat Ruben, Lindes ex-vriendje, eerst zijn lerares Nederlands en daarna zichzelf doodgeschoten had, wilde ze het gewoon niet geloven. 'Leuk bedacht, hoor! Ik trapte er bijna in. Verzin eens een betere smoes om me te bellen.'

Maar Anet huilde zacht en toen begreep Linde dat het echt waar moest zijn. Nee, ze begreep er juist helemaal niets meer van. Dit kon niet. Dit was onmogelijk. Dit sloeg nergens op. Haar hoofd stroomde vol rare moeilijke vragen, die tegen haar hersenpan aan stuiterden en haar hoofdpijn bezorgden.

Blijkbaar wilde het nog niet zo snel tot haar doordringen wat er gebeurd was. Soms was de werkelijkheid verschrikkelijker dan je ergste fantasieën.

Nauwelijks had Linde opgehangen, of er kwamen achter elkaar twee sms'jes binnen, van Jonne en Floor. Die waren natuurlijk meteen ook door Anet ingelicht.

Maar Linde bekeek ze niet. Ze staarde wezenloos voor zich uit en luisterde naar de geluiden die haar raam binnenstroomden. Wat raar eigenlijk, dacht ze, er zijn twee mensen die ik ken gestorven en de wereld draait gewoon door, alsof er niets aan de hand is.

Aan de overkant werd een auto gestart, met het pruttelende protest van een slecht opgeladen accu. Ergens in de verte blafte een hond. Bij de buren waren ze het gras aan het maaien. Maar de stilte in haar kamer was oorverdovend, bijna angstaanjagend. Haar hoofd barstte ongeveer uit elkaar van alle herinneringen die haar opeens van alle kanten besprongen. Muziekflarden. Het gesmoorde geluid van iemand die achter een dichte voordeur zijn tranen probeerde in te slikken. Fragmenten van gesprekken, in een wirwar van stemmen: 'Een stoorzender in onze vriendschap...' 'Hij zit vast complexer in elkaar dan je denkt...' 'Niemand gaat mij hier op school de wet voorschrijven...'

Wie hadden dat ook alweer gezegd? Ze wist het niet meer. Alles bleef zonder beelden. Dat maakte het nog bedreigender. Ze kon zich niet meer voor de geest halen hoe Ruben er ook alweer uitzag! Ook het gezicht van Mijnsma was ze kwijt. Haar ogen registreerden alleen maar boeken, boeken en nog eens boeken. Stapels oude proefwerkblaadjes, balpennen, lege chipszakken, gedeukte cola light-blikjes, schoenen, een halfvolle prullenbak en overal vuile kleren die rechtstreeks naar de wasmand konden.

Als ze dat nou eens meteen deed? Dat scheelde weer wat ruimte. Maar in plaats daarvan bleef Linde roerloos zitten. Pas toen ze iemand de trap op hoorde stommelen, kwam ze als een slaapwandelaarster in beweging en draaide de deur in een opwelling op slot. Toen liet ze zich weer op de grond zakken. Haar hoofd suisde, alsof ze er hard mee tegen een betonnen muur was geknald.

Het was haar moeder. Kwam ze toevallig naar boven, of had ze het nieuws zojuist ook gehoord? Ze klopte op de deur.

'Linde, mag ik even binnenkomen?'

Ze opende haar mond om haar moeder te vertellen dat ze zich geen zorgen hoefde te maken, ze was al bijna aan het opruimen. Maar er kwam geen geluid uit. Haar stembanden lieten het plotseling afweten.

Haar moeder drong gelukkig niet verder aan en verdween weer naar beneden.

Ik heb straks een vuilniszak nodig, dacht Linde verward, laat ik die dan alvast in de keuken gaan halen. Maar nog steeds verroerde ze zich niet.

Dit lost niks op, zei ze na een tijdje bij zichzelf, ik moet wat gaan doen.

Met een gevoel alsof ze de hele nacht doorgezakt had, stond ze langzaam op en schoof met haar voeten een paar boeken en schriften opzij om wat meer ruimte te creëren.

O ja, wat muziek erbij! Het was hier veel te stil. Ze wilde nu even keiharde muziek horen, om het lawaai in haar hoofd te overstemmen.

Linde greep de eerste de beste cd die binnen handbereik lag en duwde hem in de cd-speler. Maar ze kwam er al snel achter dat ze beter eerst op het hoesje had kunnen kijken. Want nauwelijks hoorde ze Freddie Mercury's stem uit de geluidsboxen komen, of haar zelfbeheersing brak.

Ze beet keihard op haar lip, tot bloedens toe, om het niet uit te schreeuwen van onmacht en verdriet. Maar het was tevergeefs, haar ogen schoten toch vol. Toen sloeg ze haar handen voor haar gezicht en barstte in huilen uit.

Ruben dood...? Nee... O nee!

1

Freespirit-blogspot.com
Onderwerp: Eruit gestuurd
Plaats: Mediatheek
Tijd: 13 maart, 12.15 uur

Wie dit schrijft, is gek, ha ha ha! Ik heb dit blog aangemaakt om-
dat ik me hier weer te pletter mag vervelen. Mooi pseudoniem, al zeg
ik het zelf. Het past wel bij me. Voor de zekerheid zal ik alles ano-
niem houden. Namen noemen is te gevaarlijk, je weet maar nooit wie
dit blog leest.
Ik ben nog steeds misselijk van kwaadheid. Ze is een monster, ik
snap niet wat pa in haar ziet. Zielig, zoals ze kickt op macht en
intimidatie! Ik heb zojuist weer een aanvaring met haar gehad, over
het werkstuk dat ik nog steeds niet ingeleverd heb.
Welk excuus ik hiervoor kon aanvoeren? Dat mijn moeder gisteren
weer gehuild had, wilde ik haar recht in d'r gezicht zeggen. Omdat
zij en pa voor de zoveelste keer ruzie hadden gemaakt over hetzelfde
onderwerp: mijn vaders grote afwezigheid. Dat komt u zeker wel be-
kend voor, hè? Maar gelukkig bedacht ik me op het laatste moment.
Niemand op school is van hun relatie op de hoogte. Dat wil ik graag
zo houden.
'Ik zie het nut van zo'n werkstuk niet in. Allemaal verspilde moei-
te,' zei ik langzaam. 'Ik besteed mijn tijd liever aan dingen waar
je later wat aan hebt. Dat zult u vast kunnen begrijpen. Ja, toch?
U houdt toch ook bij alles wat u doet rekening met mijn toekomst?
Als eh... leraar?'

11

Lekker dubbelzinnig bedoeld. Hoewel ze volgens mij denkt dat ik
nergens van afweet, hapte ze meteen. Het bekende ritueel volgde.
Eerst klonk haar snerpende stem: 'Nu is het genoeg! Ik heb het hele-
maal gehad met jou! Eruit!'
Daarna slofte ik het lokaal uit en meldde me met een verwijder-
briefje bij de mediathecaris, die direct begon te zeuren. 'Nou snel je
iPod uit en aan het werk! Je zit hier niet voor niks.' Ik mocht zelfs
amper naar de wc!
Het is maar goed dat ik nu deze digitale uitlaatklep gestart ben.
Anders zou ik hier onderhand gek worden. Deze school lijkt zo
langzamerhand wel een veredeld strafkamp.

Natuurlijk wist Linde net als iedereen op het Rhijnvis Feith
Lyceum wie Ruben Coubergh was. Hij zat in de vijfde van
het atheneum. Minstens één keer per week stond zijn naam
op de monitor om zich bij de coördinator te melden. Ruben
was lang, had brede schouders en grote handen en voeten. Hij
droeg vaak een ruimvallend legerjack, met een rafelige spijkerbroek eronder en afgetrapte sportschoenen. Zijn donker-
blonde haar hield hij kort geschoren. Meestal lag er een norse,
afwerende uitdrukking op zijn gezicht, terwijl hij in zijn eentje door de gangen beende, zijn rugtas slingerend over zijn
schouder. Hij straalde kracht uit, stoere onverzettelijkheid.
Ook al had Linde nog nooit een gesprek met hem aange-
knoopt, toch wist ze dat Rubens vader bij de politie werkte en
daar iets belangrijks deed. Floor had haar dat een keer verteld:
'Ik mag die jongen niet. Hij heeft iets… iets arrogants over
zich. Je ziet hem ook nooit met iemand optrekken. Blijkbaar
heeft hij geen behoefte aan vrienden. Hij vindt zichzelf vast te
goed voor deze wereld, door die topbaan van zijn vader.'
Linde hield zich expres op de vlakte. Floor was een lieverd,
maar ze kon af en toe van die verschrikkelijke vooroordelen
spuien, waar ze zich vreselijk aan kon ergeren.

'Ik snap niet waar je dat op baseert,' zei ze, 'ik merk niets bijzonders aan hem, hoor. Hij ziet er heel gewoon uit.'
Floor snoof. 'Als je met niks bijzonders zijn kleren bedoelt, zal ik je gelijk geven. Waarschijnlijk interesseert het hem geen barst hoe hij erbij loopt. Maar heb je zijn hoofd wel eens goed bekeken?'
Toen Linde niet reageerde, vervolgde ze: 'Met dat gemillimeterde haar lijkt hij meer zo'n figuur die homo's in elkaar timmert, bushokjes vernielt en overal graffiti op spuit. Of zo'n racist die moslimmeiden aan hun hoofddoekje trekt en dan roept dat alle Fatima's terug naar hun land moeten.'
Linde schoot onwillekeurig in de lach. 'Nu overdrijf je echt. Wat ken je hem nou? Je gaat alleen maar op zijn uiterlijk af. Misschien is zijn lievelingshobby langharige marmotten fokken en heeft hij thuis kasten vol prijzen staan. Daarom houdt hij zijn haar kort. Hij zit natuurlijk de hele dag die beesten te kammen en dan heeft hij geen zin meer om zijn eigen haar ook nog te pimpen.'
Maar ze kreeg Floor niet overtuigd. Later kwam Linde erachter dat Rubens kleine zusje inderdaad twee marmotten had. Een wrang toeval.

Die donderdag in maart, toen Ruben er voor de zoveelste keer bij Nederlands uit was gestuurd, liep Linde hem in het begin van het vijfde uur letterlijk tegen het lijf. Ze kwam tegelijk met hem de wc uit toen ze bijna tegen hem aan botste.
'Sorry,' mompelde ze, maar hij hoorde haar niet. Hij had zijn iPod keihard aanstaan en leek helemaal in de muziek ondergedompeld.
'Sorry!' herhaalde ze met nadruk en ze wilde zich al omdraaien om terug naar de klas te gaan, maar opeens haalde hij een dopje uit zijn oor en greep haar bij de arm.
'Hé, jij daar! Zei je wat?'

Linde schudde haar hoofd.

'Je liegt. Je zei wel wat. Ik zag je mond bewegen.'

Ze probeerde zich los te rukken. Tevergeefs. Hij torende zeker anderhalve kop boven haar uit en was veel sterker dan zij.

'Joh, doe normaal! Laat me gaan. Neem iemand van je eigen postuur, als je per se wilt vechten.'

'Nee. Je vertelt eerst wat je zei. Geef maar gewoon eerlijk toe, je maakte een rotopmerking.'

Linde tikte tegen haar voorhoofd. 'Heb je hier soms een gaatje zitten? Waarom zou ik je willen beledigen? Ik ken je niet eens. Trouwens, ik wil je ook niet eens leren kennen. Geen behoefte aan. Maar als je het nou echt wilt weten: ik zei daarnet twee keer sorry. Een Engels woord dat blijkbaar nog te moeilijk voor je is.'

Ze had op hetzelfde moment spijt van deze opmerking. Het was echt goedkoop, zoals ze nu een beetje bijdehand liep te doen. Maar hij riep iets in haar wakker wat ze niet kon omschrijven. Een soort op hol geslagen behoefte om zijn belangstelling te wekken. Het leek wel of ze opeens met vuur wilde spelen, terwijl iedereen haar voorspeld had dat je dan je vingers kunt branden.

Ze bereidde zich inwendig al voor op zijn reactie en keek hem uitdagend aan. Hij hoefde heus niet te denken dat ze nou bang voor hem zou worden!

Maar Ruben liet met een spottende grijns haar arm los en duwde het dopje van de iPod terug in zijn oor. Hij zei verder niets.

'I want to break free from your lies, you're so self satisfied I don't need you...' ving ze op toen hij van haar wegliep, terwijl hij zijn middelvinger achter zijn rug naar haar omhoogstak.

Zijn vingerafdrukken bleven nog zeker een kwartier als rode vlekken op haar arm staan, zo stevig had hij haar vastgehouden.

In de grote pauze hing Ruben in de buurt van de snoepauto-maat rond. Terwijl Linde met Anet, Floor en Jonne langs-liep, staarde hij hen onbewogen aan. Maar nauwelijks zag hij Linde, of zijn ogen lichtten op. 'Hé, jij daar!'

Weer diezelfde woorden... Ze was er helemaal door verrast. Wat wilde hij toch van haar? Ze gaf hem een kort koel knikje terug, om duidelijk te maken dat zij hem ook herkend had en nog steeds niet onder de indruk was van de botte manier waarop hij haar aandacht probeerde te trekken. Maar toen hij aanstalten maakte hun richting uit te komen, sleurde Jonne hen snel de aula in.

'Het lijkt wel of die creep contact probeerde te zoeken,' zei ze bezorgd. 'Waarom reageerde je nou op hem, Linde? Je kunt maar beter uit zijn buurt blijven. Ze zeggen dat hij er nogal gauw op los timmert als iets hem niet bevalt.'

Linde grinnikte. 'Wat ben je toch een angsthaas, Jonne! Jij ziet ook altijd overal mannen met messen rondlopen, die je willen verkrachten of beroven of in elkaar slaan. Hij doet niks, hoor! Blaffende honden, weet je wel.'

Te laat ontdekte ze dat Ruben op dat moment vlak achter hen slenterde, zijn handen diep in zijn zakken gestoken, met de dopjes van de iPod in zijn oren.

Zou hij haar gehoord hebben? Ze hoopte van niet. Van een klein afstandje bleef hij naar haar staan kijken. Af en toe be-woog hij zijn hoofd mee op de maat van de muziek. Meer gebeurde er niet. Alleen maar dat schuinse kijken. Alsof hij haar in gedachten stond te taxeren en haar voor elk lichaams-deel een cijfer gaf! Haren, halflang en blond, volgens de laat-ste mode in laagjes geknipt: negen. Borsten, beetje klein uit-gevallen: zes. Gemiddelde lengte: zeven...

Ruben hield het een paar dagen vol haar achterna te lopen. Linde verdacht hem ervan dat hij haar met zijn plotselinge belangstelling op stang probeerde te jagen. Maar ze liet zich

niet door hem opjutten. Ze onderging alles met een onverschillig gezicht, terwijl haar hart ondertussen als een razende
tekeerging. Dat zo'n aparte, stoere jongen haar in deze massale leerfabriek opgemerkt had! Blijkbaar was ze in zijn ogen
interessant genoeg om achteraan te blijven sjouwen.

Tot haar verbazing constateerde ze dat zij zich ook tot hem
aangetrokken voelde. Sterker nog, ze wilde hem zelfs graag
beter leren kennen. Ruben leek zoveel volwassener en man-
nelijker dan de jongens uit haar klas! Af en toe kruisten hun
blikken elkaar en dan glimlachte hij bijna onmerkbaar in
haar richting, met een snelle ontwapenende lach die hem
opeens een stuk aantrekkelijker maakte.

Maar Floor en Jonne ergerden zich als Ruben opeens weer in
hun buurt opdook en Linde aan bleef staren. Zelfs Anet, die
normaal gesproken niet gauw van haar stuk te krijgen was,
begon er onrustig van te worden.

'Hij staat weer naar je te gluren, hoor!' siste ze. 'Wat wil hij
toch van je?'

'Niets. Gewoon doorlopen en niet op hem letten. Hij probeert zeker grappig te zijn.'

Ergens vond Linde het bijna jammer, toen Ruben er op een
gegeven moment genoeg van had gekregen en haar weer met
rust liet.

2

Elk jaar organiseerde de sectie Muziek op de tweede woensdag in april De Artistiekelingen. Dat was een speciale avond, waaraan iedereen kon meedoen die zin had om een keer op het toneel te staan. Alles was geoorloofd, zolang de act maar op de een of andere manier met muziek te maken had.

Er kwamen altijd veel onderbouwers opdraven. De bovenbouwers lieten meestal verstek gaan, op een paar fanatieke hardrockers na, die de aula stiekem als oefenruimte gebruikten om hun versterkers uit te testen.

Tot Lindes afgrijzen had Merel zich dit jaar ook ingeschreven. Als ze het van tevoren had geweten, had ze het haar zusje nog uit het hoofd kunnen kletsen. Vooral toen haar ouders plotseling besloten dat Merel niet alleen naar huis kon gaan.

'Het is pas om tien uur afgelopen en dan moet ze in het donker in haar eentje terugfietsen. Wij kunnen haar niet halen, Linde. We hebben kaartjes voor de schouwburg vanavond. Ga jij anders met Merel mee? Dan kun je haar zien optreden en ons er later alles over vertellen.'

'Ik heb geen zin om me twee uur lang te vervelen,' wierp Linde tegen. 'Ze kan toch net zo goed met wat klasgenoten terugrijden?'

Merel barstte in tranen uit.

'Maar ik ben de enige van de hele klas die meedoet. Niemand van hen gaat ernaartoe.'

Linde slaakte een diepe zucht. Ze kende haar zusje veel te

goed. Geloofde Merel nou echt dat ze daarin trapte? Waarschijnlijk had ze haar halve vriendinnenclub opgetrommeld om naar haar te komen kijken. Maar na een smekende blik van haar moeder slikte ze haar woorden in en mompelde met tegenzin: 'Het is al goed, hoor, mam. Ik ga wel mee. Veel plezier vanavond.'

Terwijl ze in de zaal zat toe te kijken hoe Merel op het toneel op haar dwarsfluit stond te spelen, kreeg Linde steeds meer last van schaamte dat dat kleine, vals spelende, geen maat houdende uitslovertje met haar spaghetti-armen en knokelknieën haar zusje was. Tegen de tijd dat haar hoofd bijna op ontploffen stond van opgekropte ergernis en ze met moeite de neiging bedwong om het toneel op te stormen, de dwarsfluit uit haar handen te rukken en haar zusje van het podium te sleuren, was Merels optreden gelukkig voorbij.

Opgewonden plofte Merel even later op de stoel naast haar. 'Linde, wat ging het goed, hè? Ik kreeg zelfs applaus, hoorde je dat?'

'Dat doen ze bij iedereen, sukkel. Weet je waarom ze na elk optreden klappen? Uit opluchting dat er weer geen lampen kapot zijn gesprongen,' fluisterde ze, zich verbijtend dat ze de rest van de tijd tot de pauze hier moest blijven zitten. Ze kon geen kant op, ze zaten helemaal ingebouwd tussen gillende brugklassers. Als ze nu op zou staan en Merel mee zou sleuren, onder luid protest natuurlijk, zouden alle ogen hun richting uit gaan. Daar had ze geen zin in.

'We blijven toch wel tot het einde, hè?' informeerde Merel achterdochtig. 'Want in de pauze krijg ik gratis cola omdat ik meegedaan heb, en daarna treden twee meisjes uit mijn klas op. Ik heb beloofd ook naar hen te gaan kijken.'

Linde stemde schoorvoetend in, een beslissing waar ze eigenlijk direct al spijt van kreeg. Maar ja, ze had ook geen zin in een ingewikkelde discussie, die waarschijnlijk weer in ruzie zou eindigen. Er zat dus niets anders op dan de rest van de tijd uit te zitten.

'Het allerlaatste nummer!' kondigde een stem ten slotte door de luidsprekers aan. Met een lichte zucht van opluchting liet Linde zich nog wat meer onderuitzakken. Gelukkig, de avond was bijna voorbij. Ze verveelde zich nu langzamerhand echt te pletter en de stoel waarop ze zat begon steeds meer als een houtblok aan te voelen.

Terwijl de spotlights zich op een roerloze gestalte op het toneel richtten, ging ze verbaasd rechtop zitten. Ruben? Wat deed die hier? Hij was beslist de laatste persoon die ze hier zou verwachten...

Met zijn handen in zijn zakken gestoken liet hij zijn blik door de zaal dwalen. Toen hij Linde ergens in het midden van het publiek ontdekte, gleed er een klein, bijna onmerkbaar glimlachje over zijn gezicht.

Ze veranderde ongemakkelijk van houding. Hè, vervelend dat hij haar hier gezien had! Hopelijk kreeg hij nu geen verkeerd beeld van haar, ze zat heus niet voor haar plezier bij De Artistiekelingen.

Uiterlijk koel en onbewogen greep Ruben de microfoon van de standaard en liep naar de rand van het toneel.

'Ik ben Ruben Coubergh. Even voor de duidelijkheid: mochten jullie denken dat ik mij hier voor de lol sta uit te sloven, dan heb je het mooi mis. Met mijn act kan ik bij CKV drie hele punten scoren en die heb ik hard nodig. Dat scheelt me weer museumbezoek.'

Hij schraapte nadrukkelijk zijn keel. 'Ik ga het volgende nummer voor jullie zingen: "I want to break free", van Queen. Ik ben een groot fan van ze. Als je niet van hun muziek houdt, kun je nu maar beter weggaan. Zoals sommige leraren hier op school je de les uit sturen als je het niet met ze eens bent. Ik noem maar liever geen namen. "What's in a name?" zou Shakespeare zeggen. Nou eh, naar Mijnsma... aak niets. Mijn achternaam is Coubergh en ik kan je verzekeren dat ik die naam geen eer aan doe: ik kan soms behoorlijk heet zijn! Van eh... woede natuurlijk.'

Er klonk kort gelach, gevolgd door een nieuwsgierige stilte toen hij zijn hand omhoogstak in de richting van het hokje waar de technicus zat en een groot projectiescherm uit het plafond langzaam naar beneden begon te zakken.

'Zet de beamer maar aan, Kevin.'

Terwijl de lichten één voor één gedimd werden, verscheen op het scherm een close-up van een ouderwetse steelstofzuiger, die vanuit een deuropening ritmisch heen en weer begon te schuiven. Er was geen geluid bij.

Met een hese stem begon Ruben te zingen: '*I want to break free...*'

Er kwam eerst een hand in beeld, met een knalroze en zwarte armband om de pols, en daarna de hele persoon: een man in vrouwenkleren, met een zwarte pruik op zijn hoofd. Zijn benen waren gehuld in donkere nylons met ouderwetse jarretels. Boven een kort en glimmend zwart rokje droeg hij een bleekroze truitje, dat strak over zijn puntborsten spande.

'*I want to break free...*'

Aan zijn oren bungelden lange knalroze plastic oorbellen, in de kleur van zijn lippenstift. Hij had een grote, zwarte snor en duwde telkens met een overdreven gebaar zijn haren uit zijn gezicht weg.

'*I want to break free from your lies*
You're so self satisfied I don't need you...'

Opeens veranderde het hoofd van de man in dat van een glimlachende vrouw. Hooguit twee seconden duurde het, maar net lang genoeg voor iedereen om haar te herkennen.

Er ging een schok van verrassing door de zaal en ook Linde

schoot overeind. Mijnsma, haar lerares Nederlands van de brugklas! Ja, ze was het absoluut! Niemand anders op school had van die priemende donkere ogen.

Met een uitgestreken gezicht bleef Ruben doorzingen alsof hij zich nergens van bewust was.

'I've got to break free...'

Mijnsma hoorde op school bij de impopulaire docenten. Ze was vaak chagrijnig en kon hatelijke opmerkingen maken als iets haar niet beviel. Toen Linde in de brugklas les van haar had, zat ze telkens verkrampt van de zenuwen op het puntje van haar stoel als Mijnsma het huiswerk ging overhoren en in haar richting keek. Dan kon ze geen woord meer uitbrengen, terwijl ze van tevoren de stof wel kon dromen.

'God knows, God knows I want to break free...'

'Hé, Linde,' fluisterde Merel naast haar nieuwsgierig. 'Was dat een lerares, op die foto van daarnet? Ik heb haar geloof ik wel eens in de gangen zien lopen.'

Linde knikte. 'Klopt. Mijnsma, een vreselijk mens. Je boft dat je haar niet hebt, ze zou je geestelijk platwalsen. Je bent veel te eigenwijs voor haar. Stil nou, ik wil verder luisteren.'

Merel zweeg beledigd.

'I've fallen in love...'

Weer vervaagde het gezicht van de man en opnieuw verscheen de foto van Mijnsma. Dit keer zag ze eruit als een overjarige seksbom, met haar ogen zwaar aangezet en haar lippen knalrood geverfd. Een paar leerlingen begonnen schel te fluiten.

'I've fallen in love for the first time
And this time I know it's for real
I've fallen in love yeah...'

Op het projectiedoek liep de man nu met zijn nepborsten overdreven naar voren geduwd door de kamer en liet de stofzuiger onder de benen door glijden van een oudere vrouw

– duidelijk ook een verklede man – die een krantje zat te lezen en alles achterdochtig in de gaten hield.

'God knows, God knows I've fallen in love...'

Bij de derde keer dat het gezicht van Mijnsma in de clip tevoorschijn floepte, droeg ze opeens overdreven lange oorbellen. Terwijl de zaal in lachen uitbarstte, stormde een van de muziekdocenten uit de coulissen het toneel op en greep Ruben bij de arm.

'Ruben, het is nou genoeg geweest. Je act is voorbij.'

Maar Ruben schudde zijn hand weg.

'It's strange but it's true
Hey, I can't get over the way you love me like you do...'

De leraar werd rood van kwaadheid. 'Heb je me niet gehoord? Kappen, zei ik! We gaan de avond sluiten. Zet de beamer uit, Kevin! Nu meteen!'

Toen Ruben geen aanstalten maakte het toneel te verlaten en rustig bleef doorzingen, verdween de docent vlug naar achteren om versterking te halen.

'But I have to be sure
When I walk out that door...'

Linde sloot even haar ogen. Rubens stem raakte haar. Hij klonk door de microfoon plotseling zo triest, zo vol ingehouden emoties, dat ze zomaar de behoefte voelde opkomen het toneel op te stormen en haar armen om hem heen te slaan. Zachtjes in zijn oor te fluisteren dat hij waanzinnig mooi kon zingen, en wat een prachtig nummer, en dat hij... dat zij... Een heel verwarrend gevoel.

'Oh how I want to be free, baby
Oh how I want to break free...'

Zat er onder zijn stoere uiterlijk misschien een heel andere jongen verborgen? Was hij kwetsbaarder en gevoeliger dan hij in eerste instantie leek? Zoiets als ruwe bolster, blanke pit?

22

Ze beet op haar lip. Dit klonk als een verschrikkelijk cliché! Ze kon zich nog goed herinneren hoe ze dat woord haatte, toen ze al in de eerste week van de brugklas met Mijnsma's overhoormethode geconfronteerd werd. 'Zoek thuis nog maar eens op wat een cliché is, Linde Rooijackers, en schrijf dat tweehonderd keer voor me over. Dat zal je afleren om dom voor je uit te staren als ik je naar de betekenis vraag. Simpel leerwerk was het, kindje, meer niet.'

'But life still goes on
I can't get used to living without, living without
Living without you by my side...'

Haar ouders waren behoorlijk verontwaardigd geweest toen Linde over haar toeren thuiskwam. 'Strafwerk? Binnen drie dagen? Jíj? Dat moet wel een heel kindvriendelijke docent zijn!'

Natuurlijk vroegen ze op de eerste ouderavond een gesprek met Mijnsma aan. Na afloop kwamen ze enigszins stil thuis. 'Zo iemand mogen ze toch nooit voor een brugklas zetten! Echt zo'n gefrustreerde lerares van over de dertig die nog jong probeert te lijken,' was het enige wat haar moeder wilde loslaten. 'Wat een onsympathiek en arrogant mens is dat! Trouwens, Bram, ik zag je heus wel naar haar borsten kijken, hoor!'

'Klopt. Ik had een geweldig uitzicht, ik kwam bijna ogen tekort,' zei haar vader ironisch. 'Ze kan beter lesgeven aan een stelletje oversekste knullen in de bovenbouw. Daar krijgt ze vast alle aandacht die ze wil.'

Met zijn ogen doorzocht Ruben de zaal, tot zijn blik zich weer aan Linde vasthechtte.

'I don't want to live alone, hey
God knows, got to make it on my own...'

Al zingend bleef hij haar strak aankijken. Het maakte haar onrustig, vooral toen Merel het ook in de gaten kreeg en haar zacht aanstootte. 'Wat moet die jongen van je? Ken je hem? Zit hij soms bij jou in de klas?'

'Gelukkig niet! Ik weet alleen wie het is. Dat is alles.'

Even later kwam de muziekdocent het toneel weer op, nu in gezelschap van een andere leraar.

'Doek dicht!' schreeuwde hij geïrriteerd tegen de geluidstechnicus, terwijl de tweede docent op Ruben af liep en de microfoon uit zijn handen nam.

Terwijl de lichten één voor één aanfloepten en de gordijnen dicht begonnen te schuiven, trokken de twee leraren Ruben mee naar achteren. Op het laatste moment rukte hij zich los, draaide zich om naar de zaal en brulde, zijn middelvinger omhooggestoken: *'I want to break free – yeah eah! Free from this fucking school!'*

Onder daverend applaus sloten de gordijnen zich voor zijn neus.

Probeerde Ruben me daarnet op de kast te jagen? vroeg Linde zich verward af. Of is dit zijn speciale methode om te laten merken dat hij me leuk vindt? Een soort doorzichtige versiertruc?

Bij die gedachte begon haar hart als een razende te bonken.

3

Freespirit-blogspot.com
Onderwerp: De Artistiekelingen
Plaats: Thuis
Tijd: 9 april, 23.15 uur

Het bewerken van die clip heeft me veel tijd gekost. Maar het is de moeite waard geweest. Mijn act verliep vanavond supercool. Ze krijgt morgen behoorlijk de pest in als ze via het roddelcircuit op school hoort hoe ik haar foto bewerkt heb. Ze zal vast wel vermoeden waarom ik haar op deze manier belachelijk probeerde te maken. Maar ze kan me er nooit op pakken. Ik heb haar ook niet openlijk beledigd of zo, alleen een flauwe grap met haar vakantiefoto uitgehaald. Dé perfecte spotprent, de Denen zouden er nog wat van kunnen leren! Na afloop ben ik expres langs haar huis gereden, om te controleren of pa's auto er nog steeds stond. Niente, nada. Hij was al weg en de gordijnen waren dicht. Waarschijnlijk lag ze te slapen. Ik had bijna aangebeld. Ik voelde me helemaal fantastisch en was echt in zo'n stemming om haar eens lekker verrot te schelden. Maar ik wist me te beheersen. Ik acht haar in staat om voor mijn neus pa op zijn mobiel te bellen en in zijn oor te krijsen dat zijn lieve zoontje op de stoep staat. En ik lig al genoeg nachten wakker omdat ik ma en pa in hun slaapkamer ruzie hoor maken.
Ma stelt altijd dezelfde vragen: 'Wie belde er daarnet, lieverd? Iemand van je werk? Zo laat nog? Hè, waarom doe je nou zo geheimzinnig! Mag ik het weer niet weten? Wat is er toch met je?'

Dan volgen de verwijten en barst ze in tranen uit en blijft uren door-
huilen. Om de volgende dag gewoon weer te doen alsof er niets aan de
hand is. Volgens mij heeft ze haar oogkleppen op maat laten maken.
Blijkbaar zitten die zo lekker dat ze die nooit meer af wil zetten.
Tijdens mijn optreden ontdekte ik trouwens die ene meid in de zaal.
Echt zo'n braaf, keurig meisje. Ze zal vast nooit in een kroeg op tafel
springen om een liedje te gaan zingen. Maar ze laat zich ook niet
gauw op de kast jagen. Ze bleef stoïcijns onder mijn aandacht. Zo'n
karaktereigenschap mag ik wel. Een meid met verborgen pit. Ik ben
benieuwd wat ze van mijn act vond.
Morgen mag ik asociaal vroeg op: een gesprek 's ochtends om acht uur
met de mentor én de coördinator. Over mijn schoolresultaten. De
jackpot!

Die nacht sliep Linde weinig. Telkens weer verscheen het
beeld van Ruben op haar netvlies, zoals hij daar op het toneel
had staan zingen, met die rare clip als achtergrond. Dan ging
ze met een zucht op haar andere zij liggen en trok het dekbed nog wat hoger op.
Wat een aparte avond! Merel was onderweg naar huis helemaal vol geweest van haar zogenaamde succes. Ze bleef maar
doorratelen en had niet in de gaten dat Linde met haar gedachten ergens anders was en amper iets terugzei.
'Ik kreeg in de pauze zelfs een extra schouderklopje van de
muziekleraar, wist je dat, zo goed vond hij me spelen! En hij
vroeg of ik de volgende keer weer wilde meedoen. Leuk, hè?'
Toen ze thuis waren gekomen en Linde zwijgend aanstalten
maakte om naar haar kamer te gaan, had Merel teleurgesteld
gevraagd: 'Blijf je dan niet op mama en papa wachten? Ze
moeten toch ook van jou horen hoe goed ik gespeeld heb?'
Maar ze had gezegd dat ze moe was en liever naar bed wilde.
Hoewel de echte reden was geweest dat ze alleen wilde zijn,
om rustig over alles te kunnen nadenken.

Voor de zoveelste keer draaide Linde zich in bed om. Ze snapte niks van haar gevoelens. Ruben zag er niet alleen stoer en mannelijk uit, maar hij kon ook geweldig mooi zingen en barstte van het zelfvertrouwen. Zíj zou nooit voor een volle zaal durven verkondigen dat je alleen maar vanwege de CKV-punten aan De Artistiekelingen meedeed. Blijkbaar boeide het hem niet dat hij daarmee indirect alle deelnemers tot een stelletje losers bestempelde. Na afloop zag ze hem snel in zijn eentje wegfietsen, alsof hij helemaal geen behoefte had om met iemand na te praten. Maar iedereen had zijn act steengoed gevonden, dat bleek wel uit het enorme applaus dat hij had gekregen.

Aan de andere kant sprak zijn rare agressieve gedrag aan het einde van zijn act haar ook weer niet erg aan. Het sloeg echt nergens op, zoals hij plotseling als een idioot ging staan schreeuwen! Wat bezielde hem toen opeens?

Het gevolg was dat Linde urenlang klaarwakker naar de spleet licht tussen de gordijnen lag te staren en haar hersens maar bleven doormalen, tot ze tegen vieren van vermoeidheid in een diepe slaap viel en 's ochtend door de wekker heen sliep.

'Linde, als je niet het eerste uur vrij hebt, moet je nou echt opstaan!' riep haar moeder onder aan de trap. 'Het is al bijna acht uur, hoor! Ik ga naar mijn werk. Vergeet je straks niet het alarm aan te zetten? Tot vanmiddag!'

Ze schoot geschrokken overeind. Was het al zo laat? Ze had zelfs geen tijd meer om te douchen of te ontbijten!

Vijf minuten later slingerde ze haastig haar rugtas over haar schouder, racete naar school, dwars door alle stoplichten heen, en slaagde erin precies bij de tweede bel het lokaal binnen te glippen. Nog nahijgend van het traplopen plofte ze naast Jonne neer. 'Gehaald! Met gevaar voor eigen leven!'

'Welkom in de hel,' merkte Jonne droog op, terwijl ze haar

27

tas van tafel hees en hem op de grond liet glijden. 'We waren al bang dat je ziek was.'

'Ik had me verslapen.'

Anet draaide zich met een brede grijns naar Linde om. 'Dat is je duidelijk aan te zien. Je haar piekt alle kanten op.'

Verschrikt greep Linde naar haar hoofd. 'O, nee hè? Vergeten te borstelen!'

'Als je wilt, mag je mijn kam wel even lenen,' zei Jonne troostend. 'Maar maak je geen zorgen, deze coupe verwaaid staat je hypermodern.'

'Je hebt nu de ware slaapkamerlook over je,' voegde Floor er spottend aan toe. 'Puur natuur. Zo'n kapper aan huis heeft ook wel zijn voordelen, vind je niet? Lekker goedkoop, snel en gemakkelijk. Wil je me alsjeblieft zijn adres geven? Please?'

Ze schoten alle vier in de lach.

Terwijl Linde zich ontspande, bedacht ze hoe heerlijk het was om een stel goede vriendinnen te hebben met wie je alles kon delen.

De eerste twee uur worstelde Linde zich door de lessen heen. Haar maag knorde en ze voelde zich duf en sloom. Tot het derde uur hield ze het vol om zich nog een beetje te concentreren. Maar toen kregen ze Nederlands, het saaiste vak van school, als je tenminste les had van Wensveen. Linde mocht de man niet zo erg. Ze vond hem erg zelfingenomen, hoewel hij minder irritant was dan Mijnsma.

Vanaf januari waren ze met literatuur bezig. Het schoot alleen voor geen meter op. Wensveen bleef maar doorzeuren over de middeleeuwen. Toen er al dertig minuten verstreken waren, kondigde hij tot Lindes afgrijzen plotseling aan dat hij de rest van de les zou besteden aan de gedichten van zuster Bertken, een vrouw die zich levenslang in een kluis had laten opsluiten om haar leven aan God te kunnen wijden.

Hij bukte zich om een dun boekje uit zijn schooltas te halen. 'Alsjeblieft goed opletten, mensen. Het staat weliswaar niet in ons leerplan, maar deze prachtige juweeltjes kan ik jullie echt niet onthouden. Dit is een stukje cultureel erfgoed waar we trots op mogen zijn.'

Ze kreunde inwendig en zag dat bijna iedereen onderuitgezakt op zijn stoel hing. Sander, een jongen die al drie achtereenvolgende jaren bij hen in de klas zat, ving haar blik op en gaapte nadrukkelijk. Ze glimlachte vol begrip terug. Ja, dit werd supersaai.

'Zo'n kluis was een klein kamertje dat aan de kerk bijgebouwd was, met twee openingen: een aan de zijde van de kerk en een aan de straatkant. Op die manier kon de kluizenares de mis horen, voedsel krijgen en ook met de stadsbewoners praten, als die haar om advies kwamen vragen,' ging Wensveen vol vuur verder. 'Want de mensen geloofden dat iemand die bewust voor deze levensstijl koos, heel veel wijsheid moest bezitten. Kijk, dit is de titel van haar boek.'

Hij trok het whiteboard naar beneden, pakte een stift van de richel en schreef in grote letters op het bord: EEN BOECXKEN GEMAKET ENDE BESCREVEN VAN SUSTER BERTKEN DIE LVIJ (= 57) IAREN BESLOTEN HEEFT GHESETEN TOT UTRECHT IN DIE BUERKERCKE.

'Miss Opgesloten heeft zich al die jaren natuurlijk te pletter zitten vervelen en moest wat te doen hebben. Daarom is ze maar een eind weg gaan rijmen,' mompelde Jonne zachtjes tegen Linde. 'Nou, dat kan ik ook. Moet je maar eens luisteren. Mijn gedicht heet: "Ode aan Wensveen".

Ach hemel, wat een schrik,
ik lijk wel niet goed snik,
Zo stik-van-ik ben ik.

Briljant van mij, hè? En dat heb ik zomaar even uit mijn mouw geschud. Binnen een minuut!'

Linde voelde een lachkriebel opkomen. Ze kende dat van zichzelf: ze moest nu snel de klas uit, anders ging het mis. Ze stootte Jonne aan en siste: 'Geef me je kam eens. En ook je mascara, als je die bij je hebt.'

Voorzichtig liet Jonne de spullen in haar hand glijden.

Linde wachtte tot de leraar zich weer naar de klas had omgedraaid en stak toen haar vinger op. 'Mag ik even naar de wc?' Na een kort knikje van Wensveen schoof ze opgelucht uit haar bank.

'Ik zal beginnen met haar gedicht over het kruidentuintje, waarin ze rondloopt en overal distels en doornen ziet staan. Iets wat natuurlijk symbolisch bedoeld is. Maar daar kom ik later nog op terug,' hoorde ze de leraar zeggen, terwijl ze op haar gemak het lokaal uit liep.

In het toilet nam Linde ruimschoots de tijd om haar haren te kammen en wat mascara op te doen. Toen ze even later haar handen onder de kraan hield, zag ze op haar horloge dat het al bijna pauze was. Hmm, dan had het eigenlijk ook geen zin meer om terug naar de klas te gaan.

Ze kon beter alvast een broodje gaan kopen, het was nu nog rustig in de kantine.

De meiden zouden haar spullen straks wel meenemen.

4

De kleine pauze was inmiddels begonnen. Ze zaten met zijn vieren aan een tafeltje in de aula. Ruben was vlak daarvoor opgestaan en vertrokken, Linde alleen achterlatend.
'Linde, wat mankeert jou vandaag?' vroeg Jonne. 'Eerst blijf je weg en mogen wij je spullen meesjouwen en daarna zit je opeens met die rare jongen aan te pappen.'
Linde hoorde aan haar stem dat ze er echt ondersteboven van was. Ze fronste haar wenkbrauwen. 'Doe alsjeblieft een beetje relaxed! Er is niks aan de hand. Hij liep langs en ik zei iets tegen hem. Daarna ging hij naast me zitten en kletsten we even wat.'
Vijf minuten geleden had Linde een broodje gekocht. Ze was aan een leeg tafeltje neergestreken en wachtte geduldig op de anderen, toen ze Ruben in de verte zag komen aanlopen. 'Hé, jij daar!' had ze voor de grap uitgeroepen. Ze was benieuwd hoe hij zou reageren.
Verrast keek hij op. Toen hij Linde in haar eentje zag zitten, slenterde hij op haar af.
'Heb je het tegen mij?'
'Tegen wie anders? Zo veel mensen zijn hier nog niet. Jij en ik zijn ongeveer de eersten.'
Hij ging zwijgend naast haar zitten. Niet tegenover haar, nee, vlak naast haar. Ze kon de warmte van zijn huid door haar spijkerbroek heen voelen.
Ze legde het broodje dat ze net gekocht had terug op het tafeltje en schoof haar stoel voorzichtig iets meer naar links.

31

'Ik zal je eerst maar eens mijn excuses aanbieden,' zei hij kalm. 'Hier komt-ie: drie keer sorry. Eén keer voor "hé, jij daar" en één keer omdat ik mijn middelvinger opstak. De derde sorry is alvast uit voorzorg. Hoe heet je eigenlijk? Dan kan ik de volgende keer "hé, jij daar" met je naam erachter roepen. Dat klinkt beleefder.'

Hij keek haar van schuin opzij aan, nieuwsgierig, niet koel of argwanend. Zo van dichtbij was hij echt een lekker ding om te zien. Hij had grijsbruine ogen, donkere wenkbrauwen en mooie volle lippen. Hij zou vast geweldig kunnen zoenen... Een opwindende gedachte, die haar hart even op hol liet slaan.

'Linde,' zei ze vlug.

'O? Je wilt liever niet dat ik je achternaam weet? Moet ik je nu in mijn geheugen opslaan als Hé-jij-daar-Linde?'

Onwillekeurig schoot ze in de lach. 'Asjeblieft niet. Ik heet Linde Rooijackers.'

'Linde Rooijackers,' herhaalde hij langzaam. 'Klinkt goed. Ik vind het wel bij je passen: een mooie naam bij een mooi meisje.'

Pfff, deze versiertruc was wel erg simpel! 'Wat ben jij origineel, zeg,' zei ze vinnig. '"What's in a name", hoorde ik gisteren iemand beweren. Niks toch?'

Op zijn gezicht verscheen een verraste uitdrukking. Loom rekte hij zich uit. 'Oké. Eén-nul voor jou. Hoe vond je mijn act trouwens? Ik was goed, hè? De timing van de songtekst met de clip liep volgens mij perfect.'

Linde onderdrukte een kleine glimlach. Hij zat duidelijk naar een complimentje te hengelen.

'Je zong inderdaad hartstikke mooi. Ik had bijna een fanclub voor je opgericht,' zei ze op luchtige toon, terwijl ze haar broodje van tafel pakte om een hap te nemen. 'Waar heb je die foto van Mijnsma eigenlijk opgeduikeld?'

'O, die kwam ik toevallig ergens tegen.' Zijn stem klonk opeens een beetje terughoudend. 'Kon je haar gemakkelijk herkennen in de clip?'

'Ja, natuurlijk. Ik heb haar in de brugklas gehad,' zei Linde met volle mond. 'Ze was toen mijn ergste nachtmerrie.'

'Dat verbaast me niks,' zei hij grimmig. 'Ze is een schijnheilige, arrogante bitch. Ik heb gruwelijk de pest aan haar. Het klikt gewoon niet tussen ons.'

Ze haalde haar schouders op. Er waren wel meer leraren die ze stom vond: Wensveen bijvoorbeeld. Pure pech dat ze hem dit jaar voor Nederlands hadden gekregen. Maar om je daar zo over op te winden? Allemaal verspilde energie, je kon er toch niets aan veranderen. Alleen maar hopen dat je volgend jaar een andere docent kreeg.

'Ik heb haar ook in de tweede gehad. Ze was toen mijn mentor. Ze heeft me een rotstreek geleverd die ik nooit zal vergeten,' ging Ruben door. 'Het is haar verdiende loon dat ik haar gisteren belachelijk maakte.'

Snel nam Linde nog een hap. Misschien verwachtte hij dat ze nu nieuwsgierig zou doorvragen wat er dan gebeurd was?

Nee, gelukkig praatte hij gewoon verder: 'Niemand gaat mij hier op school de wet voorschrijven. De coördinator niet, de mentor niet, en Mijnsma helemáál niet. Ze kunnen dus mooi vergeten dat ik haar ooit mijn excuses ga aanbieden. Waar bemoeien ze zich trouwens mee? Mijnsma was er gisteren niet eens bij!'

'Wisten ze dan al van je act?'

Ruben grinnikte. 'Wat dacht je zelf? Zoiets gaat als een lopend vuurtje rond. Ik moest vanmorgen sowieso bij de coördinator komen en dat was meteen het eerste wat ik te horen kreeg: "O, Ruben, hoe kón je haar dit aandoen? Jouw gedrag getuigt niet van veel respect."' Hij snoof vol minachting. 'Ik haat dat modewoord! Ze is de laatste voor wie ik ooit respect zal hebben. De enige twee mensen voor wie ik bewondering heb, zijn Freddie Mercury en Sinterklaas.'

'Sinterklaas?' herhaalde Linde ongelovig. 'Waarom Sinterklaas?'

'Zijn levensfilosofie spreekt me wel aan: wie zoet is krijgt lekkers, wie stout is de roe.'

Na een korte aarzeling voegde hij eraan toe: 'Daar bedoel ik mee dat ik het niet pik als mensen vuile trucs met me uithalen, zoals Mijnsma gedaan heeft. Dan kunnen ze klappen terug verwachten. Zo zit ik nu eenmaal in elkaar. Kun je je dat voorstellen?'

Maar Linde luisterde niet meer. Ze zag in de verte Jonne, Anet en Floor komen aanlopen en zwaaide naar hen. Hun ogen rolden bijna uit hun kassen toen ze zagen wie naast haar aan het tafeltje zat.

'Ik zie mijn vriendinnen komen,' flapte ze eruit en ze had onmiddellijk spijt van haar woorden. Nu dacht hij vast en zeker dat ze een einde aan hun gesprek wilde maken!

Ruben stond inderdaad langzaam op. Met lichte tegenzin, leek het wel. 'Het wordt hier dus een kippenhok. Ik begrijp dat ik nu maar beter kan weggaan, wil ik straks niet doof gekakeld worden.'

'Nee, hoor, je hoeft niet weg,' zei ze haastig, 'je mag gerust hier blijven. Zo lang als je wilt.'

Ze vond dit nogal een stomme opmerking van zichzelf, want de meiden zouden ter plekke gaan flippen als hij hier bleef zitten.

Hun blikken hielden elkaar een seconde gevangen, hij taxerend, zij ietwat onzeker.

'Hé, jij daar, Linde Rooijackers. Zullen we morgenavond gaan stappen?' zei hij plotseling met een flauwe grijns. 'Halfelf bij Blow-Out? Alleen wij tweeën? Zonder dat je je hele meidenclub mee op sleeptouw neemt? Wat vind je ervan?'

34

Spontaan zei Linde ja. Jonne hoorde haar nog net zijn uitnodiging aannemen.

Blow-Out was een drukbezochte jongerenkroeg. Hij lag midden in de stad, naast de bioscoop en tegenover een snackbar. Er stonden altijd rijen fietsen tegen de gevel geparkeerd. De meiden reageerden nogal huiverig toen ze van Linde hoorden dat Ruben en zij daar afgesproken hadden.

'Die kroeg staat hartstikke slecht bekend, er zijn altijd veel vechtpartijen,' zei Floor. 'Je kunt er amper je fiets terugvinden of hij is 's nachts gestolen. Je vraagt gewoon om moeilijkheden, Linde.'

'Hoezo? Ben je er dan zelf al een keer geweest? Volgens mij zit je nu anderen na te praten.'

Floor keek enigszins beledigd. 'Wat doe je flauw! Het is aardig bedoeld, hoor. Ik wilde je alleen maar waarschuwen.'

'Bedankt voor je advies, maar ik ben heus niet van plan stomme dingen te gaan doen,' zei Linde kortaf. 'Je hebt gewoon weer last van vooroordelen. Alleen maar omdat ik naar Blow-Out ga. Ga anders mee. Dan kun je het zelf ook eens zien.'

Maar daar voelde Floor niets voor.

'Waarom hebben jullie niet in The Grant afgesproken?' mengde Anet zich in het gesprek. 'Raar is dat eigenlijk. Het halve Rijnvis Feith zit daar. Dat is toch veel leuker? Dan kun je af en toe ook even bij ons komen kletsen.'

Daar kon Linde geen antwoord op geven. Ze vond het zelf ook wel een beetje vreemd, maar ja, dat hadden ze nu eenmaal niet gedaan.

'Stel nou dat je er straks niks aan vindt en hij wil nog wat langer blijven, wat doe je dan?' vroeg Jonne. 'Ga je dan 's nachts in je uppie terugfietsen? Ik zou dat niet durven. Er zijn altijd van die idioten op scooters, die naast je komen rijden en je lastigvallen.'

35

Linde voelde zich helemaal kriebelig worden van hun over-bezorgdheid. Eén moeder was al erg genoeg. Dat zei ze hun ook. Want toen ze haar ouders over haar vrijdagavondplan ingelicht had, reageerde haar moeder net zo bezorgd.

'In die kroeg hoor jij helemaal niet thuis, Linde. Daar wordt alleen maar gedronken en rotzooi getrapt. Vorige week heeft de politie er zelfs een inval gedaan, las ik in het plaatselijke krantje. Drugscontrole.'

'Mam!' stoof ze op. 'Er gebeurt overal wel iets. Ik ben zestien. De tijden zijn veranderd, ik mag zelf bepalen waar ik naartoe ga. Of je het nu leuk vindt of niet, ik ga gewoon.'

'Wie van je vriendinnen komen ook?'

Linde aarzelde. Als ze haar moeder zou vertellen dat Jonne, Anne en Floor niet mee wilden gaan, gooide ze haar eigen glazen in.

'Ik ga dit keer zonder hen,' zei ze snel, terwijl een hinderlijk rood vanuit haar nek omhoog begon te kruipen. 'Ik heb met Ruben Coubergh afgesproken. Hij zit bij mij op school. Zijn vader werkt bij de politie.'

Vooral die laatste woorden klonken haar moeder vast geruststellend in de oren. Ze zei in ieder geval niets meer. Maar Merel hief plotseling verrast haar hoofd.

'Hé, zei je Ruben? Is dat niet die ene jongen, die toen bij De Artistiekelingen...'

Lindes ogen zonden een blik vol kogels en handgranaten in haar richting. Gelukkig begreep Merel de boodschap op tijd en slikte ze de rest van haar woorden in.

De avond werd een fiasco. Ruben kwam niet opdagen. Linde stond tot elf uur bij de ingang van Blow-Out op hem te wachten, in een gure wind die zich scherp in haar huid vastbeet. Af en toe rook ze de frituurlucht van de snackbar aan de overkant.

Het begon drukker op straat te worden. Een paar keer wenkte een van de twee uitsmijters haar dat ze gerust weer naar binnen mocht, maar ze reageerde niet. Ze was heel even binnen geweest, om te kijken of Ruben er al was. Ze kon hem nergens in de massa ontdekken. Het was er bloedheet, benauwd en lawaaierig en toen een paar mensen als een waanzinnige gingen dansen en ze in de drukte bijna omvergeduwd werd, hield ze het voor gezien en was snel naar buiten gevlucht.

Ze begon langzamerhand zwaar de pest in te krijgen. Waar bleef Ruben toch?

In de verte kwam politie te paard aanzetten, twee man. Ze wierpen Linde in het voorbijgaan een blik over hun schouder toe, terwijl ze hun paarden stapvoets tussen de mensen door lieten lopen.

Kijk toch voor je, er is niks aan de hand, dacht ze grimmig. Ik ben heus niet stoned of bezopen, alleen maar superchagrijnig.

Een groepje fietsers naderde. Drie jongens en een meisje. Ze waren ongeveer van haar leeftijd. Met veel lawaai en piepende remmen stopten ze en probeerden daarna hun fietsen aan elkaar vast te maken met een grote ketting. Ze deden het alleen zo onhandig dat Linde vermoedde dat ze al behoorlijk wat hadden gedronken.

'Hé, wat een lekker ding,' hoorde ze een van de jongens hardop zeggen. De anderen lachten. Inwendig zette ze zich schrap voor de rest van het commentaar dat nu gegarandeerd zou volgen. Maar het viel gelukkig mee.

'Wat doe je hier in je uppie? Wil je soms met ons mee?'

'Nee. Dat hoeft niet. Ik wacht hier op iemand.'

'Straks kom je niet meer binnen. Dan is het vol,' zei hij met een klein knikje in de richting van de ingang. 'Ga toch met ons mee, joh!'

Maar Linde schudde haar hoofd.

'Op wie wacht je eigenlijk?' vroeg de grootste jongen. Hij had een matje in zijn nek en droeg een zwartleren jack.

'Op iemand van school.'

'Op wie dan? Wij komen hier heel vaak. Misschien kennen we hem wel. Hoe heet hij?'

'Ruben Coubergh. Hij zit op het Rhijnvis Feith Lyceum. In de vijfde.'

De drie jongens probeerden haar dwars door elkaar heen pratend uit te leggen dat ze nog nooit van hem gehoord hadden, terwijl ze hier toch bijna iedereen van naam kenden. Leuke kroeg, ja, altijd vol met supercoole mensen. Maar die eh... hoe heette hij ook alweer? Ruben en nog iets? Nee, die kenden ze niet.

Alleen het meisje zei niets. Linde merkte dat ze haar met meer dan gewone belangstelling opnam.

'Hoe ziet hij eruit?' vroeg ze plotseling, terwijl ze haar halflange blonde haar naar achteren schudde.

'Hij is groot en heeft heel kort donkerblond haar. Hij draagt vaak een legerjack.'

'O? Zo'n stoer uitziend type die het niet boeit hoe hij erbij loopt? Met een gerafelde spijkerbroek en oude sportschoenen en een gezicht alsof hij de hele wereld achterlijk vindt?'

Lindes hart sloeg een extra slag. 'Ja.'

'Dan weet ik misschien wie je bedoelt. Ik heb hem hier in Blow-Out alleen nog nooit gezien.'

Het meisje wendde zich tot de grootste jongen. 'Jij kent hem ook, Edwin. Weet je wel, die keer toen we in The Grant waren en iemand opeens met jullie begon te vechten?'

'O ja, nu je het zegt, herinner ik het me weer een beetje. Die jongen die er toen later uit werd gezet.'

Het meisje knikte, waarna Edwin Linde medelijdend aankeek.

'Dan wens ik je veel plezier met hem. Een agressief mannetje, hoor! Hij zat ergens in een hoekje in zijn eentje te zuipen en ging helemaal over de rooie toen we voor de gein homo tegen hem zeiden.'

Daarna verdwenen ze naar binnen, haar in verwarring achterlatend.

5

Freespirit-blogspot.com
Onderwerp: Huisarrest
Plaats: Thuis
Tijd: 11 april, 23.45 uur

Weer zo'n trieste actie van de coördinator: die belde vandaag op om het thuisfront officieel in te lichten over ons gesprek van gisteren. Hij bleef maar doorzeuren over mijn gedrag, cijfers en werkhouding, vooral bij Nederlands. Ik schoot bijna in de lach toen pa me hierop aansprak.

'Je bedoelt dit toch niet humoristisch, hè? Wie denk je dat ik dit jaar als docent heb? Nou? Doe eens een gok? Je herinnert je haar vast nog wel.'

Toen ik haar naam in zijn gezicht slingerde en scherp op zijn reactie lette, deed pa of zijn neus bloedde. De huichelaar! Hij blijft hardnekkig volhouden dat hij vorig jaar op dienstreis is geweest. Een dienstreis naar Istanbul en dan met een bruinverbrande kop terugkomen? Ammehoela! Eigenlijk zou ik hem eens met die vakantiefoto's moeten confronteren die ik laatst op zijn computer gevonden heb. Maar dat durf ik ma niet aan te doen. Als ze ontdekt hoe pa haar aan alle kanten belazert, stort haar wereld echt in. Nu kan ze nog lekker in haar eigen domme goedgelovigheid blijven doorsudderen.

Vanavond hield pa me bij de voordeur opeens tegen. Ik stond al bijna buiten. Er was geen sprake van dat ik mocht gaan stappen, zei hij, ik had deze week al genoeg problemen veroorzaakt.

Welke problemen dan, vroeg ik onnozel. Maar daar gaf hij geen antwoord op. Hij gelooft nog steeds dat ik niks doorheb. Natuurlijk heeft het monster zich over mijn act beklaagd en nu wil hij even stoer zijn gezag laten gelden. Om achteraf bij haar te kunnen scoren: 'Ik heb hem huisarrest gegeven, hoor!'

'Dat heb je dan lekker handig uitgekiend,' wilde ik tegen hem snauwen, 'het is nu te laat om nog af te bellen.'

Maar vanwege ma besloot ik mijn mond te houden en verdween razend naar boven. Ik had best zin om vanavond met eh... Hé-jij-daar uit te gaan. Even weg uit deze rotsfeer, samen lekker een beetje lol maken. Maar dit is dus een gemiste kans. Nu maar iets ludieks bedenken om het goed te maken.

Zaterdagmiddag werd er opeens aangebeld. Linde was alleen thuis en kwam net onder de douche vandaan. Haar vader en moeder waren met Merel weg. Ze zouden eerst boodschappen doen en dan naar oma gaan. Ze had heel lang in bed liggen luieren, in een poging haar rothumeur weg te slapen, wat maar ten dele gelukt was. Ze was nog steeds kwaad over gisteravond. Waarom was Ruben niet komen opdagen? Maar ze voelde zich ook een beetje onzeker. Als hij een zieke grap met haar had willen uithalen door niet te verschijnen, dan was hij daar goed in geslaagd.

Met een handdoek als een tulband om haar natte haren gedrapeerd stommelde zij in haar ochtendjas op blote voeten de trap af, in de veronderstelling dat het de postbode wel zou zijn, of iemand met een collectebus, of de buurvrouw, of...

Maar in ieder geval níét Ruben.

Toen ze hem in de deuropening zag staan, met een half verontschuldigende glimlach, moest ze zich bedwingen om de deur niet meteen voor zijn neus dicht te gooien.

Of zou ze hem recht in zijn gezicht zeggen hoe erg ze ervan baalde dat hij gisteren haar avond verpest had?

41

Maar ze zweeg. Ze trok de ceintuur van haar ochtendjas wat strakker om zich heen en slaagde erin hem uiterst koel en beheerst aan te staren, hoewel ze zich met die handdoek om haar hoofd redelijk opgelaten voelde.

Hij zei eerst ook niets. Toen kuchte hij, schuifelde een beetje met zijn voeten en mompelde: 'Hoi, Linde. Ik heb in het telefoonboek opgezocht waar je woont. Ik dacht, ach, laat ik maar eens langskomen.'

Daarna viel hij weer stil.

'Dat je nog weet hoe ik heet,' merkte ze hatelijk op. 'Wat apart. Ik had eigenlijk eerder verwacht dat je weer zoiets origineels als "hé, jij daar" zou zeggen. Het woord sorry ken jij blijkbaar nog steeds niet.'

Hij wilde nog iets terugzeggen, maar ze gaf hem geen enkele kans om ook maar iets uit te leggen. Ze begon het koud te krijgen en hoefde eigenlijk niet eens meer te weten waarom hij hier plotseling voor haar neus stond. De wind blies door de dunne stof van haar ochtendjas heen en bezorgde haar kippenvel. Rillend deed ze een klein stapje achteruit.

'Ruben Coubergh, je bekijkt het maar,' zei ze nadrukkelijk, 'ik heb nu geen tijd meer. Doei.' Zonder zijn reactie af te wachten duwde ze de voordeur demonstratief voor zijn neus dicht en ging met gemengde gevoelens terug naar haar kamer. Ze trok de handdoek van haar hoofd en liet zich op de rand van het bed zakken. Hij had haar zo verbaasd aangekeken... Waarom bleef ze hem nog steeds waanzinnig aantrekkelijk vinden, terwijl hij haar had laten barsten?

'Je kunt de pot op, Ruben,' herhaalde ze een paar keer hardop. Gelukkig luchtte dat een beetje op.

Nog vijf keer ging de bel, maar ze reageerde natuurlijk niet. Toen het ten slotte stil bleef, vloog ze naar het raam en staarde naar beneden. Haar hart ging als een idioot tekeer. Ruben stond op straat te wachten, zijn voet op de trapper van zijn fiets, zijn blik strak op de voordeur gericht in afwachting of ze nog open zou doen.

Snel verschool ze zich achter de gordijnen en zag dat hij de dopjes van zijn iPod in zijn oren duwde en op zijn gemak in het muziekbestand begon te bladeren.

Toen hij even later wegfietste, staarde Linde hem na tot hij de hoek om geslagen was.

Die maandag op school vond Linde een envelop in haar locker, waar een cd in zat. Er stond geen naam of titel op vermeld. Van wie zou hij afkomstig zijn? Nou ja, daar kwam ze nog wel een keer achter. Ze liet de envelop in haar rugtas glijden en vergat hem bijna onmiddellijk weer, omdat Floor, Anet en Jonne in de garderobe direct op haar afstormden en verontwaardigd door elkaar heen begonnen te praten.

'Waarom deed je mobiel het gisteren niet?'

'Je was de hele dag hartstikke onbereikbaar.'

'Ik heb je vier sms'jes gestuurd, zo nieuwsgierig was ik. Maar je reageerde geen enkele keer!'

Linde hief zogenaamd wanhopig haar armen in de lucht.

'Sorry! Ik beken direct schuld. Mijn mobiel was leeg en ik kon de oplader nergens vinden.'

Floor grinnikte. 'Dat verbaast me niks, met al die troep in jouw kamer. Maar vertel! Hoe was het vrijdag?'

Linde stak van wal. Toen ze klaar was met haar verhaal, vroeg Jonne, terwijl het ongeloof van haar stem droop: 'Heb je daar echt een halfuur op hem staan wachten?'

Ze knikte onwillig.

'O, dat had ik nooit gedaan,' merkte Anet kritisch op. 'Ik was al na een kwartier vertrokken. Je bent veel te aardig, Linde.'

'Heel goed, zoals je hem zaterdagmiddag afgewezen hebt en voor jezelf bent opgekomen,' vond Floor. 'Je mag nooit over je heen laten lopen. Zeker niet door dat soort jongens.'

43

'Laat die Ruben maar eens goed merken met wie hij te maken heeft,' voegde Jonne eraan toe. 'Jij bent geen kat-in-het-bakkie voor hem, hoor! Je hebt iets speciaals en dat mag hij gerust weten.'

Ze kletsten daarna met zijn drieën een tijdje verder over wat ze allemaal verkeerd aan hem vonden: zijn uiterlijk, zijn achterlijke kleren, zijn portie eigendunk. Ze lieten niets van hem heel. Het leek wel of ze hun uiterste best deden om Linde ervan te overtuigen hoe ze eigenlijk geboft had dat haar date met Ruben niet was doorgegaan. Dat Linde steeds stiller begon te worden, hadden ze niet in de gaten.

Ze voelde zich helemaal opgelucht toen de eerste bel ging en was blij dat ze de meiden niet ook nog verteld had wat dat meisje over Ruben had gezegd. 'Zie je nou wel? Wat heb ik je gezegd?' zou Anet onmiddellijk triomfantelijk hebben uitgeroepen. 'Losse handjes!'

6

De rest van de schoolweek gleed kleurloos voorbij. Af en toe zag Linde Ruben ergens in de verte rondlopen, met de eeuwige iPod in zijn oren. Maar ze kreeg geen enkele kans om zelfs maar een seconde met hem te praten. Zodra hij haar zag en aanstalten maakte haar richting op te komen, namen Anet, Jonne en Floor haar snel mee de andere kant op. Ze lieten haar geen moment alleen.

'Kom op, zeg! De middeleeuwen zijn allang voorbij!' mopperde Linde. 'Ik mag best even met hem praten als ik dat wil.'

'Wij willen je beschermen, Linde,' zei Jonne vriendelijk, 'daar zijn vriendinnen voor. Er zijn genoeg leuke jongens op school. Waarom moet je nou per se op hém vallen?'

Natuurlijk ontkende ze in alle toonaarden dat ze zich inderdaad tot Ruben aangetrokken voelde. Het ergerde haar een beetje dat ze niet goed meer wist hoe ze weer met hem in contact moest komen. De meiden bleven continu bij haar in de buurt en Ruben thuis opbellen durfde ze niet. Daar moest ze dan een goede reden voor hebben, vond ze. Anders kwam ze veel te gretig over.

Pas zaterdagmiddag vond Linde de envelop terug. Ze schudde op haar kamer de inhoud van haar rugtas leeg om haar agenda te zoeken, toen de envelop op de grond gleed.

Verrast raapte ze hem op. Die cd was ze helemaal vergeten! Nieuwsgierig schoof ze hem in de cd-speler en wachtte tot de muziek begon. Toen liet ze zich op bed vallen. Ze vouwde haar handen onder haar hoofd en luisterde.

'I want to break free...'
Er verscheen een kleine glimlach op haar gezicht toen ze de woorden herkende.

Binnen een paar minuten was het nummer afgelopen. De rest van de cd was leeg. Een paar keer speelde ze het liedje achter elkaar af en vroeg zich verwonderd af waarom dit nummer zo bijzonder voor Ruben was, dat hij het speciaal voor haar had willen branden.

Ik heb nu een fantastische aanleiding om hem op te bellen, bedacht ze, ik moet toch weten of hij deze cd inderdaad in mijn locker gedaan heeft?

Vastberaden koerste ze naar beneden, in de richting van het telefoonboek. Toch voelde ze zich een beetje zenuwachtig worden toen ze even later de telefoon hoorde overgaan.

'Hallo?' zei een klein meisje. 'Met Eva Coubergh.'

Linde raffelde haar boodschap af. Was Ruben thuis? Ja? Kon ze hem dan even spreken?

Het werd stil aan de andere kant. 'Eh... nee, liever niet. Hij zit boven op zijn kamer muziek te luisteren. Met de deur op slot. Hij wil dan nooit lastiggevallen worden, zegt hij. Ik mag hem pas storen als het huis in brand staat.'

'Voor mij maakt hij vast een uitzondering,' zei Linde vlug. 'Ik wilde hem namelijk iets vragen, over een nummer dat hij laatst bij een act gebruikt heeft.'

Ze feliciteerde zichzelf met deze briljante inval. Toch moest ze twee keer haar verzoek herhalen, vergezeld van veel alsjeblieftjes, voor het meisje bereid was om Ruben te waarschuwen dat er telefoon voor hem was.

Ongeduldig bleef Linde aan de andere kant wachten. Voor haar gevoel duurde het eindeloos voordat hij uiteindelijk aan de lijn kwam en ze hem zijn keel hoorde schrapen. 'Met Ruben.'

'Ik heb je cd in mijn locker gevonden,' zei ze en ze besefte op hetzelfde moment dat ze vergeten was haar naam te zeggen.

'Welke conciërge heb je ervoor moeten omkopen?'

Een klein lachje rolde in haar oor. 'Niemand. Ik heb even de reservesleutel mogen lenen om iets uit mijn locker te halen. De mijne lag zogenaamd thuis. Sommige conciërges kun je echt van alles wijsmaken. Mijn zusje zei daarnet dat je me iets over een bepaald nummer wilde vragen. Bedoelde je daar "I want to break free" mee? Wat wil je weten?'

Peinzend liet ze haar vingers als een kam door haar haren glijden. Haar hersens werkten op volle toeren om iets slims te bedenken, maar ze was niet zo ad rem als Anet. Al snel gaf ze het op en zweeg.

'Nou, ja, het doet er ook niet toe,' merkte Ruben na een paar seconden op. 'Nu ik je toch aan de lijn heb: ik heb nog iets goed te maken bij je, vanwege vorige week vrijdag. Een stomme actie van mijn vader, ik kreeg opeens huisarrest. Zal ik nog meer muziek van Queen voor je branden? Als je dit nummer mooi vond natuurlijk.'

'Dat hoeft echt niet,' probeerde ze zijn aanbod haastig af te wimpelen. 'Ik wilde je alleen maar even bedanken. Daar belde ik je eigenlijk voor.'

Maar hij reageerde niet. Ze wilde net vragen of hij er nog was, toen ze aan de andere kant het geluid van een dichtslaande deur opving en een barse mannenstem hoorde zeggen dat Ruben langzamerhand maar eens moest ophangen. De lijn mocht niet te lang bezet blijven.

'Weet je wat, Linde? Ik ga het nu meteen in orde maken,' klonk zijn stem opeens gejaagd door de telefoon, 'dan breng ik de cd straks wel even langs.'

Voordat ze kon protesteren, had hij de verbinding al verbroken.

Binnen een halfuur stond Ruben op de stoep, zijn gezicht rood aangelopen van het fietsen. Zijn ogen straalden toen hij Linde met een triomfantelijk gebaar de cd liet zien. 'Ik heb hem!'

Terwijl ze aarzelend haar hand uitstak om de cd van hem aan te nemen en niet goed wist of ze hem nu wel of niet binnen moest laten, leek het net alsof hij op de een of andere manier haar onzekerheid aanvoelde.

'Bij mij thuis deed-ie het goed, maar ik weet natuurlijk niet of jouw cd-speler deze kopie ook kan lezen. Sommige apparaten pakken geen kopieën. Mag ik het even proberen?'

Ze knikte. 'Dan kunnen we beter de cd-speler van mijn ouders nemen. Mijn kamer is één grote puinhoop. Dat kan ik je niet aandoen en mijn ouders zijn nu toch weg.'

'Het maakt mij allemaal niet uit.'

Verlegen ging Linde hem voor naar de zitkamer, met een gevoel alsof haar knieën opeens veranderd waren in half leeggelopen zwabberende fietsbanden.

Ruben gooide zijn legerjack over een stoel en keek zoekend om zich heen. 'Waar staat dat ding?'

Ze wees hem de plek. 'In de hoek bij het raam, naast de televisie.'

Zijn glimlach werd breder. 'Dit wordt waanzinnig genieten!'

Terwijl even later de muziek van Queen de kamer vulde, plofte hij op de bank neer en sloot zijn ogen.

Op het randje van haar stoel luisterde Linde mee en voelde zich tegelijkertijd een beetje opgelaten. Het was net of ze bij zichzelf op bezoek was, ze durfde zich nog amper te verroeren! Ruben zit helemaal in een andere wereld, dacht ze, terwijl ze naar zijn ritmisch meetikkende voeten staarde. Ik besta gewoon niet meer voor hem. Het lijkt wel of hij in trance is en alles om zich heen is vergeten. Als de meiden dit later horen, zullen ze in een deuk liggen.

Langzamerhand begon ze zich te ergeren. Ze besloot nog even te wachten tot het nummer afgelopen was en toen stond ze resoluut op en schakelde de cd-speler uit.

Hij kwam verdwaasd overeind.

'Hè? Doet hij het niet meer?'

Aanvankelijk was Linde van plan om de cd uit het apparaat te halen en aan hem terug te geven. Ze was klaar met luisteren. Deze muziek hoefde ze niet. Maar toen ze zijn geschrokken blik opving, schoot op hetzelfde moment door haar heen dat ze Ruben hiermee wel eens zou kunnen kwetsen. Hij had deze cd speciaal voor haar gebrand, met natuurlijk al zijn lievelingsnummers erop!

In een opwelling zei ze iets wat ze achteraf een beetje stom vond klinken: 'Wil je misschien iets drinken? Thee of zo?'

7

Freespirit-blogspot.com
Onderwerp: Huiswerk
Plaats: Thuis
Tijd: 20 april, 14.50 uur

Vanmiddag had ik net weer het snoer van mijn geluidsbox gerepareerd en had Queen op staan, toen pa mijn kamer binnen kwam stormen. 'Doe het lawaai eens wat zachter!'
Ik was er met mijn gedachten niet helemaal bij en reageerde in zijn ogen waarschijnlijk niet snel genoeg. Want hij draaide de volumeknop onmiddellijk een kwartslag terug en stak zijn bekende riedel af. 'Moet je niet eens aan je huiswerk beginnen? Tot nog toe heb je nog niks uitgevoerd.'
'Ik zal straks heus aan de slag gaan. Maar nu nog even niet,' snauwde ik en ik draaide de volumeknop expres weer wat hoger. Puur toeval natuurlijk wat er toen uit de geluidsbox naar buiten denderde, maar pa dacht dat ik het erom deed:
'...you're so self satisfied I don't need you...'
Toen ik per ongeluk in de lach schoot, staarde hij me onbewogen aan. Maar aan het trillen van zijn neusvleugels kon ik zien dat hij boos begon te worden en zich moest inhouden.
'Het blijft me verbazen dat je nog altijd naar die homomuziek luistert,' zei hij ten slotte koel. 'Blijkbaar ben je geen spat verder gekomen in je ontwikkeling.'
Ik stond bijna op het punt om hem aan te vliegen, zo kwaad werd ik. Hij probeerde me duidelijk terug te pakken. Met deze rotopmer-

king doelde hij op mijn problemen op school, een paar jaar geleden.
Bij die herinnering voelde ik me weer helemaal driftig worden. Ge-
lukkig verdween hij snel naar beneden. Anders was ik in mijn
woede over zijn relatie met dat monster begonnen.
Ik moet me beter leren beheersen. Hij mag er absoluut niet achter ko-
men dat ik het wachtwoord van zijn computer gekraakt heb. Want
dan wordt het echt oorlog tussen ons.

De meiden waren zondagmiddag alle drie komen opdraven,
toen Linde gevraagd had of ze wilden langskomen, omdat ze
hun iets moest vertellen.
Floor lag languit op bed, terwijl Jonne en Anet naast elkaar
op de grond tegen de muur leunden. Linde zat op haar bureaustoel, die ze een kwartslag in hun richting gedraaid had.
'Heb je hem ook nog thee aangeboden?' zei Floor vol verbazing. 'Waarom heb je hem niet meteen het huis uit gekie-
perd? Eerst laat hij je voor niks bij Blow-Out wachten en
dan moet je ook nog eens verplicht naar zijn muziek luisteren? Ik vind dat best wel weird, hoor!'
'Ja, waarom heb je dat nou eigenlijk gedaan?' viel Jonne Floor
bij. 'Ik snap eerlijk gezegd ook niet goed waarom je hem binnen hebt gelaten. Je was helemaal alleen thuis! Was je niet
bang dat hij dat als een verkeerd signaal zou opvatten?'
Ook Anet zei hoofdschuddend: 'Dat voorstel om die num-
mers voor je te branden is gewoon een domme versiertruc geweest. Dat heb je toch zelf ook wel door?'
Linde staarde naar haar handen. Hoe moest ze dat precies
uitleggen? Zouden ze haar kunnen begrijpen als ze hun be-
schreef hoe Ruben na haar actie echt uit zijn doen leek, alsof
hij hardhandig uit een mooie droom wakker geschud was?
Dat ze automatisch de behoefte voelde opkomen om haar
armen om hem heen te slaan en lieve dingen in zijn oor te
fluisteren? Zoals toen bij De Artistiekelingen?

Nee, ze zouden er niets van snappen. Ze wilden alleen maar zijn buitenkant zien: stoer en bot en opdringerig. Dat zij hem wel eens heel bijzonder kon vinden, kwam gewoon niet in hun hoofd op.

'Ik geloof dat ik verliefd op hem ben geworden,' zei ze eenvoudig.

Haar woorden sloegen in als een bom. De meiden vielen helemaal stil.

'En hij... hij ook op mij,' ging ze dapper verder, terwijl ze probeerde niet op hun verbijsterde reactie te letten. 'Maar hou het alsjeblieft voor je. Ruben wil dat het voorlopig geheim blijft.'

Anet schraapte haar keel.

Het verbaasde Linde niet dat zij de eerste was die iets zei. Anet barstte van het zelfvertrouwen en durfde altijd eerlijk voor haar mening uit te komen.

'Linde...' begon ze voorzichtig. 'Ik wil je heus niet kwetsen of zo. Maar eh... dit klinkt wel een beetje eigenaardig. Wat steekt hierachter?'

Linde schudde haar hoofd. 'Niks bijzonders. Alleen dat ik hem beloofd heb het aan niemand te vertellen. Maar voor jullie wil ik een uitzondering maken. Omdat jullie mijn beste vriendinnen zijn en we altijd alles met elkaar delen.'

'Waar is Ruben dan bang voor? Dat hij voorgoed aan je vastzit? Heeft hij soms nu al spijt gekregen dat jullie gezoend hebben en probeert hij op deze manier terug te krabbelen?'

Er verscheen plotseling een bezorgde klank in Anets stem. 'Want jullie hebben vast al gezoend, hè?'

Linde knikte. Dit feit had ze expres verzwegen om de meiden niet nog meer in shock te brengen. Ruben had haar onverwachts bij de hand gegrepen en naast zich op de bank getrokken. 'Nee, ik hoef niks te drinken. Kom eens bij me zitten.'

Ze was naast hem neergeploft, te verbaasd om nee te zeggen. Achteraf kon ze zich niet goed meer herinneren wie van hen tweeën het initiatief nam, maar plotseling lagen ze in elkaars armen en waren ze heftig aan het zoenen, tot ze allebei buiten adem raakten. Ze had zelfs toegelaten dat hij haar borsten vluchtig aanraakte, over haar truitje heen, terwijl ze eigenlijk niets moest hebben van jongens die meteen handtastelijk werden. Maar dat ging de meiden even niks aan.

'Ja, we hebben inderdaad al gezoend,' mompelde Linde. 'Hij zoent fantastisch.'

Haar stem trilde een beetje.

'Ik begrijp wel waarom hij alles geheim wil houden. Iedereen kent hem op school en hij wil niet dat ze over ons gaan roddelen. Het is juist hartstikke lief en attent van hem om rekening met me te houden.'

Ze wist dat ze nu hoog spel speelde. Anet, Jonne en Floor kenden haar goed genoeg om aan te voelen dat ze gewoon zat te liegen. Met een beetje doorvragen zou ze meteen door de mand vallen en moeten opbiechten dat ze deze reden zelf verzonnen had. Ze was nou eenmaal een superslechte leugenaar.

Maar het gevaarlijke moment gleed gelukkig snel voorbij. Ze waren zo ondersteboven van het nieuws dat niemand aan het waarheidsgehalte van Lindes woorden twijfelde.

'Verliefd zijn kan hartstikke leuk zijn, maar dit klinkt zo ingewikkeld,' verzuchtte Floor.

'Misschien valt hij wel mee, als we hem wat beter hebben leren kennen?' opperde Jonne.

Hun voorzichtige poging om mee te leven deed Linde goed, hoewel het haar een beetje dwarszat dat Anet niets meer gezegd had.

's Avonds in bed dacht Linde terug aan gistermiddag, terwijl ze ondertussen luisterde naar 'I want to break free'. Het was net een romantische film, die ze telkens weer in haar hoofd afspeelde. Ze hadden samen op de bank gelegen, dicht tegen elkaar aan. Wat haar betrof hadden ze eindeloos kunnen blijven zoenen, maar jammer genoeg stopte Ruben er op een gegeven moment mee. Hij hield zijn armen om haar heen geslagen en verborg zijn gezicht in het holletje bij haar hals. Doodstil bleef ze in zijn armen liggen. Ze bedacht net hoe bijzonder het was om iemands hart zo dicht tegen je aan te voelen bonzen, toen hij bijna onhoorbaar zuchtte en zijn adem zo licht als een veertje over haar huid gleed. Het kriebelde een beetje, waardoor ze haar lachen even niet kon inhouden.

Onmiddellijk hief hij zijn hoofd en liet zijn blik over haar gezicht dwalen, alsof hij probeerde uit te pluizen waarom ze opeens moest lachen.

'Je kietelde me,' mompelde ze half verontschuldigend in zijn oor en ze voelde zich plotseling verlegen worden, met zijn lichaam zo dicht tegen haar aan en zijn handen op haar rug, in de buurt van haar behasluiting. Ze maakte zich los, ging overeind zitten en probeerde onhandig haar haren weer een beetje in model te brengen.

Ruben vouwde zijn handen onder zijn hoofd, terwijl zijn ogen al haar bewegingen volgden.

'Ik deed helemaal niks,' zei hij licht verwijtend. 'Ik lag me juist af te vragen of ik de cd nog een keer zou opzetten. Het leek me superrelaxed om met jou in mijn armen naar mijn lievelingsmuziek te luisteren en nergens meer aan te denken. Maar opeens lach je me uit, zonder dat ik snap waarom.'

In een speels gebaar trok Linde zijn hoofd naar zich toe en blies in zijn hals.

'Ziezo. Dat deed je net ook bij mij,' zei ze voldaan. 'Dat kietelt vreselijk, hè?'

Deze reactie had Ruben duidelijk niet verwacht. Er verscheen zo'n grappig verraste uitdrukking op zijn gezicht, dat ze opnieuw in de lach schoot. Toen moest hij vanzelf ook weer lachen en pakte haar onmiddellijk terug. Hij greep haar polsen beet en begon op zijn beurt in haar nek te blazen, zodat ze het uitgilde van het lachen. Daarna gleden zijn lippen vanzelf weer via haar hals terug naar haar mond en gingen ze verder met zoenen.

'Ooh yeah

I want to break – yeah eah'

De muziek was weer afgelopen. Met een zucht sloeg Linde haar dekbed terug en stak haar arm uit om voor de zoveelste keer op PLAY te drukken, het boze gebonk van Merel tegen haar slaapkamermuur negerend.

Ze was nog nooit zo hevig verliefd geweest. Zoals hij bij het afscheid haar gezicht bestudeerde, alsof hij haar ogen, haar mond, ja, eigenlijk alles van haar in zijn hoofd wilde prenten, had hij haar het gevoel gegeven dat ze heel speciaal voor hem was.

'I want to break free…'

Ze trok het dekbed wat hoger op en glimlachte voor zich uit. Morgen zag ze hem weer, in de grote pauze. Heel kort maar, had Ruben bij de voordeur gezegd, alleen om snel even af te spreken wanneer ze elkaar deze week weer zouden zien. Dat werd voorlopig hun enige contact. Het ging niemand wat aan dat ze samen iets hadden. Zijn mobiel was kapot en hij had op het ogenblik geen geld voor een nieuwe. Maar ze mocht hem ook niet meer thuis opbellen. Hij kon niet zo goed met zijn vader opschieten. Die vond eigenlijk dat de telefoon non-stop voor zijn werk beschikbaar moest blijven en dan kregen ze daar weer ruzie over. Kon ze hem dat allemaal beloven? Ze had zwijgend geknikt. Wat moest ze anders, met haar hoofd vol herinneringen en een hart dat fladderde van verliefdheid?

Ze geeuwde. Ik moet toch de volgende keer eens aan Ruben vragen wat hij met dit nummer heeft, nam ze zich slaperig voor. Misschien leer ik hem dan een beetje beter kennen.

8

'Hé, wat apart dat jij naar deze muziek luistert,' zei Lindes vader maandagmorgen, terwijl hij zijn hoofd om de deur stak, zijn haren nog nat van de douche. 'Sinds wanneer vind jij Queen leuk?'
Linde, die net bezig was haar schooltas in te pakken, had de deur niet horen opengaan. Ze draaide zich geschrokken om en schakelde haastig de cd-speler uit.
'Iemand van school had deze cd voor mij gebrand,' mompelde ze, waarna ze tot haar schrik begon te blozen.
'Zoooo, Linde, wat zie jij er opeens verlegen uit,' zei haar vader, met een twinkeling in zijn ogen. 'Is dat soms een heel speciaal iemand, dat je daar zo geheimzinnig over doet?'
Struikelend over haar woorden probeerde ze hem ervan te overtuigen dat er niets aan de hand was. Het was puur toeval dat ze deze band had ontdekt.
Merel kwam op het geluid van hun stemmen haar kamer uit lopen en ving toevallig Lindes laatste opmerking op. Verontwaardigd zei ze: 'Dat is niet waar, hoor, papa! Linde kletst maar wat. Volgens mij is ze verliefd. En ik weet zelfs op wie. Op die ene jongen van De Artistiekelingen. Gisteravond heeft ze de hele tijd het liedje gedraaid dat hij toen zong. Tot hartstikke laat, ik kon er niet door slapen.'
Lindes kleur werd nog dieper. Ze wenste haar zusje in gedachten een enkele reis naar Verweggistan toe en stond op het punt om de gang in te stormen en Merel toe te snauwen dat ze zich met haar eigen zaken moest bemoeien. Maar haar

vader wist een flinke maandagmorgenruzie te voorkomen door zo overdreven met zijn ogen te rollen dat ze vanzelf weer in de lach schoot.

Toen nam hij de sputterende Merel mee naar beneden.

'Je hoeft niet altijd je mening te verkondigen als er niet naar gevraagd wordt,' hoorde Linde hem halverwege de trap sussend opmerken. 'Wat kan jou het nou schelen of ze verliefd is? Jullie moeten elkaar eens met rust laten.'

'Ik heb nog eens over alles nagedacht en er zit me toch iets dwars. Wij zijn jouw beste vriendinnen, Linde. We kennen jou veel langer dan hij,' zei Anet plotseling in de kleine pauze. 'Als wij Ruben straks nog steeds niet leuk vinden, ben je dan niet bang dat hij een stoorzender gaat worden in onze vriendschap?'

Ze hingen met zijn vieren rond in de ruimte bij de lockers. Eigenlijk mocht niemand daar in de pauze komen. Maar Floor had bij Bosman, een van de conciërges, als excuus aangevoerd dat ze onverwachts ongesteld was geworden en dat Jonne gelukkig nog een tampon in haar locker had liggen.

'De andere twee mogen toch zeker wel voor de gezelligheid mee?' had ze er lief aan toegevoegd. 'Nou ja, eerlijk gezegd wilden we eigenlijk ook iets met elkaar bespreken, van die privémeidenzaken en zo. Ik zal u eeuwig dankbaar zijn. We zullen niet te lang wegblijven. Please?'

Floor had deze vraag niet voor niets aan Bosman gesteld. Ze wist net als iedereen dat hij gevoelig was voor niet al te ingewikkelde smoezen en een dankbare glimlach. Hij hield niet van leerlingen die snel een grote mond opzetten.

'Voor deze ene keer zal ik je dan maar geloven, meissie,' had hij goeiig gebromd, 'omdat de pauze toch al bijna voorbij is. Maar verzin de volgende keer eens iets anders. Die menstruatietruc ken ik al langer van je.'

Anet veranderde ongeduldig van houding toen Linde niet direct antwoord gaf. 'Nou?' drong ze aan.

Twijfelend staarde Linde haar aan. Anets vraag overviel haar een beetje. Hoe moest ze hier nu op reageren?

'Ja, ik ben eigenlijk ook wel benieuwd,' mengde Floor zich in het gesprek. 'Wat ga je doen als hij opeens besluit dat iedereen het toch mag weten van jullie? Ga je dan voortaan in de pauzes bij hem staan en niet meer bij ons?'

Linde kreeg onwillekeurig het gevoel dat die twee haar stiekem probeerden te dwingen een keuze tussen hen en Ruben te maken, terwijl dat helemaal niet aan de orde was. Ze haalde haar schouders op. 'Het regelt zich allemaal vanzelf, denk ik. Daar wil ik me nog niet druk over maken.'

'Eigenlijk heeft Linde daar wel een beetje gelijk in,' merkte Jonne voorzichtig op. 'Ze hebben pas twee dagen iets met elkaar en ineens zien jullie overal problemen.'

Er viel een aarzelende stilte.

'Dit wordt dus een zinloze discussie. Laten we er maar over ophouden en eerst gewoon afwachten wat er gaat gebeuren,' zei Floor luchtig. 'Kom op, meiden, ik wil nog even naar de wc. De bel gaat zo.'

Ze haakte haar armen in die van Linde en Jonne en trok hen mee in de richting van de toiletten. Anet volgde hen zwijgend.

Dit was de ergste maandag van haar leven. Af en toe ving Linde in de verte een glimp van Ruben op en dan voelde ze zich even helemaal warm worden vanbinnen. Maar geen enkele keer kwam hij naar haar toe. Niet eens een klein teken van herkenning kon ervan af! Eigenlijk vond Linde het nogal kinderachtig van zichzelf, maar ze trok zich zijn afstandelijke houding toch meer aan dan ze in haar hart wilde toegeven. Ze had niet verwacht dat hij haar echt zou negeren. Ze was blij dat haar vriendinnen besloten hadden het onderwerp

Ruben voorlopig te laten rusten. Als ze de rest van de dag ook nog hun commentaar had moeten aanhoren, was ze gaan stuiteren van ergernis.

Vrijwel de hele dag wist Linde haar rotgevoel te onderdrukken. Maar toen Wensveen haar aan het einde van het zevende uur begon door te zagen over een gedicht van een aantal lessen geleden, waar ze zich amper iets van kon herinneren, raakte ze geïrriteerd.

'Sorry, ik weet het echt niet meer,' zei ze kortaf. 'Het heeft blijkbaar geen indruk op me gemaakt.'

Anet draaide zich schuin om en trok haar wenkbrauwen op, terwijl haar lippen langzaam het woord 'chaggo' vormden. Maar Linde schudde bijna onmerkbaar haar hoofd. Nee, dat viel best wel mee, dacht ze. Ze wilde met rust gelaten worden, dat was alles.

Wensveen glimlachte minzaam. 'Dan zal ik het gedicht nog eens voorlezen, Linde. Speciaal voor jou. Die middeleeuwse regels klinken als een moderne songtekst, zo simpel en helder zijn ze. Maar wat een diepgang zit erachter verborgen, mensen! In één woord geweldig!'

De klas kreunde toen hij het boekje weer uit zijn tas opdiepte.

'O nee hè, niet weer!'

'Je wordt bedankt, Linde. Fijn, joh!'

'Dit is zo saai! Kunnen we niet iets anders gaan doen? Iets leukers? Het is toch al bijna tijd.'

Maar de leraar trok zich niets van hun reactie aan en stak van wal:

'Ik was in mijn hoofkijn om kruud gegaan,
ik en vand er niet dan distel ende doorn staan.
Den distel ende den doorn die wierp ik uut,
Ik zoude gaarne planten ander kruud.'

Ergens in het lokaal gaapte iemand. Argwanend liet Wensveen zijn blik in de richting van het geluid dwalen. Toen Tahir, die volgens Floor met zijn uiterlijk en playersgedrag op een gekloonde versie van Yes-R probeerde te lijken, zijn hoofd op tafel legde en deed alsof hij sliep, sloeg de docent met een zucht het boekje dicht.

'De boodschap is duidelijk. Nog één vraagje: waaraan doen die distels en doornen je denken, Linde?'

Ze zuchtte onhoorbaar. Waarom bleef hij nou tegen haar doorzeuren? Ze had toch allang gezegd dat ze het niet meer wist?

'Dat je je aan hun stekels kunt prikken?' opperde ze voorzichtig. Een antwoord dat waarschijnlijk nergens op sloeg, maar ze moest toch wát zeggen?

'De distels en doornen staan symbool voor al het slechte in de mens,' zei Wensveen. 'Dat wil de dichteres bij zichzelf uitroeien, "om gaarne te planten ander kruud". Wat zou ze met deze regel bedoeld hebben?'

Met een effen gezicht zei Linde het eerste het beste wat in haar opborrelde: 'Dat ze van tuinieren houdt?'

Het was niet haar bedoeling geweest om grappig te zijn, ze wilde er gewoon van af zijn, maar iedereen schoot in de lach. Floor stak goedkeurend haar duim omhoog, terwijl Jonne haar grijnzende gezicht achter haar agenda verborg en siste: 'Klunskip! Je hebt hem nu vast beledigd! Hij vond dit gedicht zo mooi dat hij er bijna bij zat te kwijlen.'

Wensveen staarde haar even aan, zijn lippen strak op elkaar geklemd. Terwijl zijn blik onderzoekend door de klas zwierf, zei hij op bedrieglijk rustige toon: 'Ik heb een kostbaar lesuur opgeofferd om een beetje cultuur bij jullie te zaaien. Is daar dan niets van blijven hangen? Wie kan zich nog de diepere betekenis van dit gedicht herinneren? Jij, Jonne? Doe alsjeblieft normaal en laat die agenda nou eens zakken, wil je?'

61

Anet draaide zich met een scheve grijns om. 'Ja, Jonne, zeg jij het maar eens.'

Toen Jonne zweeg en daarna ook Floor en Anet het antwoord schuldig bleven, viel hij plotseling woedend uit: 'Wat zijn jullie toch een ongeïnteresseerd zootje bij elkaar!'

Het werd op slag doodstil in het lokaal. Niemand durfde zich nog te verroeren.

'Linde dacht zeker dat ik haar niet doorhad, hè? Een oude truc, hoor, om vlak voor de grote pauze zogenaamd even naar de wc te gaan en daarna niet meer terug te komen. Met een kam in je hand! Schandalig!' brieste hij. 'Ik heb het er toevallig gisteren met de coördinator over gehad, Linde, en je bent onze eerste pechvogel: je mag je morgen om acht uur melden. Dit soort praktijken worden voortaan harder aangepakt.'

Linde verstrakte. Wat een rotstreek! Maar ze durfde niet te protesteren, Wensveen was in staat om haar onmiddellijk met twee keer melden op te zadelen. Hij was duidelijk razend. Zijn adamsappel bewoog heftig op en neer, terwijl hij diep ademhaalde.

'Uiterlijk en jongens, dat is het enige waar jullie meisjes belangstelling voor hebben. Maar zo'n zuster Bertken, die in haar eenzame opsluiting prachtige religieuze gedichten schreef,' bulderde hij verder, 'nee, daar willen jullie tegenwoordig niet mee lastiggevallen worden. Alles moet lekker gemakkelijk en snel en oppervlakkig zijn!'

Rachid, een jongen die pas sinds vorig jaar bij hen in de klas zat, stak aarzelend zijn vinger op. 'Wie is eh... die zuster Bertken ook alweer? Is dat nou die dichteres of die non?'

Hoewel hij zijn vraag waarschijnlijk serieus bedoelde, regende het van alle kanten opmerkingen:

'Rachiiiiid! Nerd!'

'Sukkel die je bent! Verkeerde timing, man.'

'Dit meen je toch niet?'

Het gezicht van de leraar liep nu helemaal rood aan.

'Eruit!' zei hij, zijn stem laag van woede. 'Nu is het genoeg. Dit accepteer ik niet meer. Haal maar een verwijderbriefje.'

Langzaam hees Rachid zich van zijn stoel en verdween naar buiten, zijn hoofd licht gebogen. Hij begreep er echt niets meer van.

De leraar liep naar het whiteboard, greep een stift van de richel en snauwde over zijn schouder: 'Pak jullie agenda's, we gaan de verloren tijd inhalen.'

Terwijl hij met grote letters een paar wijzigingen in het lesprogramma begon op te schrijven, leunde Linde peinzend naar achteren.

Wensveen wist best dat Rachid een superstuud was. Flauw om hem er nu uit te sturen, zo vlak voor het einde van de les, alleen maar om zijn pestbui af te reageren!

Ruben zou zoiets nooit hebben gepikt. Die zou openlijk hebben laten merken dat hij dit niet terecht vond, ongeacht de gevolgen. Zoals bij De Artistiekelingen, toen mocht iedereen gerust van hem weten hoe hij over Mijnsma dacht.

Dromerig bleef ze voor zich uit staren. Nog maar één minuut en dan ging de bel.

Haar hart sloeg een extra roffel toen ze zich probeerde voor te stellen dat ze hem straks weer zou zien. Ze maakte zich vast voor niks ongerust. Natuurlijk zou hij contact met haar zoeken. Dat had hij haar zaterdag bij de voordeur toch beloofd? Maar de werkelijkheid pakte anders uit.

9

Freespirit-blogspot.com
Onderwerp: Rampendag
Plaats: Mediatheek
Tijd: 21 april, 14.20 uur

Het monster riep me in de klas bij zich en zei dat ik dit trimester niet meer in haar les mag, tot ik het werkstuk ingeleverd heb. Anders krijg ik een één, die ze drie keer laat meetellen. Ze had het al besproken met de coördinator, zei ze, en die was het met haar eens. Blijkbaar wil ze er een prestigekwestie van maken. Ze gebruikt mijn werkstuk als machtsmiddel om de zaak nog verder op de spits te drijven en daarna gaat ze natuurlijk bij pa over me klagen. Nou, ik lust haar langzamerhand rauw! Het is jammer dat ik vorig jaar maatschappijleer al afgerond heb, anders had ik nu een mooi onderwerp gevonden: 'MIJN SMAkeloze mentor, over de achterbakse rol van een docente Nederlands in de eenentwintigste eeuw.'
Ha ha ha! Zo'n werkstuk zou me vast een tien opleveren. Vanaf de tweede klas heb ik hier voldoende informatie over kunnen verzamelen. Niet te filmen hoe naïef ik vroeger was, dat ik haar blindelings vertrouwde! Ik vertelde haar in onze mentorgesprekken hoe onzeker ik me op school voelde en altijd in mijn uppie was. Over de druk die pa op me legde, omdat ik van hem per se naar het vwo moest. Mijn paniek of de klasgenoten misschien gelijk hadden toen ze me voor homo uitscholden. Want vooral bij meisjes voelde ik me nog erg verlegen. Die kwamen naar mijn idee echt van een andere planeet.
O, wat leefde ze mee! Ze droogde mijn tranen, streelde mijn haren

en zei dat ik altijd bij haar terecht kon om te praten, als ik haar
nodig had. Natuurlijk wilde ze me helpen. Tot ze pa naar school liet
komen en haar kans greep om de waarheid te verdraaien. 'Wist u
dat uw zoon een vlindermes bij zich draagt en daarmee klasgenoten
bedreigd heeft? Gelukkig is er niets gebeurd, want anders was hij
onmiddellijk van school verwijderd. Maar zulk gedrag kan natuur-
lijk niet getolereerd worden. Ik zal u mijn mobiele nummer geven.
Laten we met elkaar in contact blijven.'
Daarmee gaf ze het startsein voor hun stiekeme telefoontjes en mail-
wisseling. Haar bijbedoeling moet pa meteen duidelijk zijn geweest.
Soms zou ik haar net zo lang door elkaar willen schudden tot haar
tanden uit haar mond vallen en ze nooit meer een normaal woord
kan uitspreken zonder te sissen als een slang.
Ik heb vandaag ook nog geen kans gezien om Hé-jij-daar ongemerkt
aan te schieten. Die vriendinnenclub bleef non-stop om haar heen
hangen en aan hun meeluisterende aanwezigheid had ik op dit
moment geen behoefte. Morgen moet ik maar eens een nieuwe poging
wagen.

Haar laatste hoop had Linde op de garderobe gevestigd. Ze
treuzelde zo lang mogelijk met het aantrekken van haar jack
en spiedde ondertussen de rijen kapstokken af, maar nergens
ontdekte ze een glimp van Ruben.
Met moeite slaagde ze erin haar gevoel van teleurstelling te
onderdrukken. Nou ja, ik ken zijn lesrooster niet, hield ze
zich voor. Misschien had hij vandaag weinig uren en is hij al
naar huis gegaan.
Terwijl ze met de drie meiden door de draaideur naar buiten
liep en in het voorbijgaan zag dat haar naam inderdaad op de
monitor vermeld stond, maakte dat deze rotdag helemaal
compleet.
'Wat verschrikkelijk flauw en kinderachtig van Wensveen!'
viel ze boos uit.

Het deed haar goed dat Anet, Floor en Jonne net zo verontwaardigd reageerden dat ze zich morgen om acht uur moest melden.

'Dit moeten we niet accepteren! Het is hartstikke oneerlijk om Linde te pakken op iets wat tien dagen geleden gebeurd is,' zei Anet vol vuur. 'Dan had Wensveen haar direct op haar donder moeten geven. Zullen we met zijn allen bij de coördinator gaan klagen? Met zijn vieren staan we veel sterker.'

Ze wendde zich tot de anderen en vroeg: 'Wat vinden jullie ervan? Gewoon doen?'

Terwijl Jonne en Floor instemmend knikten, schudde Linde haar hoofd. 'Verspilde energie. Aardig van je bedacht, hoor, maar Wensveen heeft vast een mooi verhaal opgehangen en daar heb ik het al automatisch tegen afgelegd. Leraren krijgen toch altijd gelijk. Ik heb het hier vandaag helemaal gehad. Ik wil liever snel naar huis.'

Anet keek haar verbaasd aan. 'Ik wilde je alleen maar helpen, Linde. Waarom doe je nou opeens zo chagrijnig? Omdat Ruben niet naar je toe is gekomen? Ben je soms bang dat hij je nu al gedumpt heeft?'

Linde besloot deze opmerking te negeren en hield zo verbeten vol dat ze het een actie vond die bij voorbaat gedoemd was om te mislukken, dat Floor en Jonne veelbetekenende blikken met elkaar wisselden en zich niet in de discussie durfden te mengen.

Ten slotte haalde Anet haar schouders op. 'Oké, ik geef het op. Dan moet je het zelf maar weten. Jíj moet morgen vroeg op, niet ik.'

'Zullen we straks iets leuks gaan doen?' stelde Floor voor, in een voorzichtige poging om de gespannen sfeer te doorbreken. 'Komen jullie bij mij thuis een dvd'tje kijken?'

Weer was Linde de enige die afhaakte. 'Sorry, geen tijd,' voerde ze haastig als excuus aan, 'toevallig heb ik al andere

plannen. Ik wil straks misschien nog langs mijn oma gaan.'
Ze wisten alle drie hoe dol ze op haar grootmoeder was, dus
deze smoes klonk best acceptabel. Jonne probeerde haar nog
over te halen door te zeggen dat ze haar oma toch ook morgen kon bezoeken? Maar Linde hield voet bij stuk. Nee.
Terwijl ze even later in haar eentje wegfietste, had ze niet in
de gaten dat Anet, Floor en Jonne haar bezorgd bleven na-
staren.

'Ik schaamde me dood,' zei Merel 's avonds aan tafel met
volle mond, 'mijn hele klas zag Lindes naam op de monitor.
Is dat jouw zus, wilde iedereen van mij weten. Ze moet zich
om acht uur melden, wat heeft ze dan gedaan? Nou, leuk
hoor! Ik stond helemaal voor paal, ik wist nergens van.'
Wat een gemene kleine verrader! Linde stootte bijna haar
glas water om en vervloekte voor de zoveelste keer het feit
dat Merel en zij op dezelfde school zaten.
'Merel, toe, alsjeblieft! We hoeven niet met je eten mee te
genieten,' zei haar moeder kalm, alsof ze niets gehoord had.
Maar haar vader schoot in de lach. 'Ik ben benieuwd wat je
uitgespookt hebt, Linde. Vast iets heel ergs. Want een halfuur eerder je bed uit moeten komen, ja, dat noem ik beslist
een zware lijfstraf!'
Schoorvoetend vertelde Linde het hele verhaal en eindigde
met een zucht: 'Ik zal me heus wel melden morgen. Wat
maakt dat nou uit? Eigenlijk boeit het me niet eens zoveel
meer.'
'Wat doe jij opeens slap, zeg! Ik zou zoiets nooit gepikt hebben,' zei Merel verontwaardigd. 'Ik was meteen naar mijn
mentor gegaan om haar hulp in te roepen.'
'Dat verbaast me niks, met zo'n brugklasmentor die nog
steeds iedereen pampers om blijft doen!' wierp Linde tegen,
in een zwakke poging zich te verdedigen. 'Jij snapt nog hele-

maal niet hoe het bij ons op school werkt. In de bovenbouw
mag je alles zelf oplossen, hoor.'
Merel wilde nog iets terugzeggen, maar Linde schoof met
een ruk haar stoel naar achteren en stond op. 'Hou je mening
maar voor je. Ik zal je de volgende keer op tijd waarschuwen
als ik in je advies geïnteresseerd ben. Trouwens, ík ga nu
achter de computer.'
Met opgeheven hoofd zeilde ze de kamer uit, uiterlijk beheerst, maar inwendig kookte ze van woede. Op zichzelf, op
Merel, maar vooral op Ruben en Anet. Omdat hij niets van
zich had laten horen en Anet goed aangevoeld had waarom
ze zo chagrijnig was geweest.

Het liep al tegen negenen toen Linde overwoog om de computer af te sluiten. Het was allemaal verspilde moeite. Minstens een halfuur was ze nu al bezig om Ruben ergens op
internet te vinden. Merel kon elk moment van dwarsfluitles
terugkeren en die wilde dan natuurlijk onmiddellijk achter
de computer. Haar zusje was een echte mailjunk.
Op msn wemelde het van de Rubens, ze wist alleen niet
onder welke naam hij zich geregistreerd had. Of misschien
msn'de hij wel nooit.
Ze surfte naar hyves. Haar laatste poging. Wie weet had ze
daar meer kans. Nee, hier waren ook weer erg veel Rubens.
Dit werd een speld in een hooiberg zoeken.
Teleurgesteld tikte ze alleen zijn achternaam in, gewoon om
te proberen, en stuitte plotseling op zijn zusje: Eva Coubergh, negen jaar, 307 vrienden. In plaats van haar eigen foto
had Eva op haar hyvespagina een afbeelding van twee marmotten geplaatst, die met hun kraalogen verdwaasd in de
camera staarden.
'Freddie en Sushi, mijn twee schatjes,' stond erboven.
Linde rimpelde haar neus. Die Eva was blijkbaar net zo triest

bezig als Merel. Haar zusje was altijd druk in de weer om allerlei zogenaamde vrienden van vrienden van vrienden aan haar lijst toe te voegen, om daarmee de indruk te wekken dat ze superpopulair was. Ze scrolde door de lijst van Eva's vrienden, maar er zat geen enkele naam bij die haar enigszins bekend voorkwam. Beneden hoorde ze de voordeur dichtslaan. Even later riep Merel naar boven: 'Nu mag ik, Linde! Laat de computer maar aanstaan. Ik heb heel snel internet nodig. Voor school!'

In een opwelling stuurde Linde vlug een krabbel naar Eva: 'Kun jij tegen je broer zeggen dat hij vandaag zijn laatste sorry bij mij heeft verspeeld? Hij kan het weer goedmaken door morgen ook om acht uur op school te zijn!'

Toen sloot ze de pagina af en verliet de studeerkamer, terwijl ze zich met een licht gevoel van onzekerheid afvroeg of Eva deze boodschap nog op tijd aan Ruben zou overbrengen.

10

Toen Linde de volgende ochtend de voordeur achter zich dichttrok, regende het pijpenstelen. Ze had zo lang mogelijk binnen gewacht tot het een beetje droog zou worden. Maar ze moest nu echt gaan, wilde ze niet te laat komen. Huiverend trok ze de capuchon van haar jack nog verder over haar hoofd en racete weg. Hopelijk kwam ze straks niet halfverzopen op school aan.

Terwijl ze vijf minuten voor acht het voorplein van het Rhijnvis Feith Lyceum op reed, zag ze bij de ingang van de fietsenstalling een lange gestalte staan, zijn handen nonchalant in de zakken van zijn spijkerbroek gestoken. Linde herkende hem onmiddellijk: Ruben!

Haar vingers klemden zich steviger om de handvatten. Hij had dus haar boodschap gekregen. Zijn rugtas hing over een schouder en de rits van zijn jack stond half open, alsof het hem niet interesseerde dat hij nat werd. Maar zijn gezicht begon te stralen toen hij haar zag. Groetend stak hij zijn rechterhand omhoog.

Hijgend stapte ze van haar fiets, trok de capuchon van haar hoofd en probeerde met de rug van haar hand haar gezicht droog te wrijven. Ik zie er vast verschrikkelijk uit, dacht ze in een flits. Mijn neus glimt als een biljartbal, mijn haren zijn natte spaghettislierten geworden en mijn mascara is waarschijnlijk helemaal doorgelopen.

Zou ze hem hier een zoen durven geven? Vlug keek Linde om zich heen of er iemand in de buurt was. Ze bofte, het schoolplein was nog vrijwel leeg, op een paar vroege bruggers na die meer in elkaar geïnteresseerd leken dan in hun omgeving. Ze ging op haar tenen staan en hief haar hoofd een beetje schuin omhoog. Haar bedoeling moest zo toch wel duidelijk zijn. Maar Ruben nam haar fiets van haar over en knikte in de richting van de fietsenstalling. 'Waar?'

'Daar.'

Kreun. Waarom gaf ze nou weer zo'n vaag antwoord? Van pure zenuwen natuurlijk, omdat ze daarnet tevergeefs om een zoen had gebedeld. De fietsenstalling was ingedeeld per leerjaar, met een aparte scooterafdeling. Allemaal ter bescherming van de brugklasleerlingen, die in de massale uittocht van fietsers anders gemakkelijk omvergereden konden worden. Iedereen wist dat, zelfs Merel.

'Zal ik eens een gok doen?'zei Ruben met een onschuldige grijns. 'In ieder geval niet bij de bruggers. Vierde klas?'

Ze knikte en wachtte tot hij haar fiets weggezet had.

Terwijl ze even later in de richting van het schoolgebouw liepen, vroeg hij: 'Waarom moest je je eigenlijk vanmorgen om acht uur melden? Vanwege te laat komen?'

'Nee, zo'n stomme actie van Wensveen, die zijn gezag even wou laten gelden.'

Hij floot verbaasd tussen zijn tanden. 'Nou, mijn complimenten! Dat had ik niet van je verwacht. Je ziet er eerder uit alsof je aanvoerster bent van het Rhijnvis Feith-bravemeisjesteam.'

Zijn woorden klonken zo droog dat Linde zich niet eens beledigd voelde.

Ze liepen door. Af en toe raakte haar hand zijn vingers heel even aan, bijna toevallig, alleen maar om hem te laten voelen dat ze hem nog steeds erg leuk vond. Maar geen enkel moment greep hij haar hand beet.

'Je hebt mijn bericht dus op tijd gekregen,' zei ze.

'Wat bedoel je?'

'Mijn berichtje aan je zusje. Ik heb haar gisteravond op hyves opgeduikeld en een krabbel gestuurd.'

'O ja? Ik weet van niks.'

Linde keek hem verwonderd aan. 'Heeft ze je dan niet verteld dat je hier om acht uur moest zijn? Dat was een trucje van me, om je weer even te kunnen spreken.'

Maar Ruben schudde zijn hoofd.

'Nee. Eigen initiatief. Ik zag je naam gisteren op de monitor staan. Vandaar. Maar mijn respect voor je stijgt. Dit moet echt een levensgevaarlijk experiment zijn geweest. Er staat maar één Coubergh op hyves en dat is mijn kleine zusje. Als ik haar tenminste moet geloven. Ik doe niet meer aan die onzin mee. Geen behoefte aan.'

'Dan ben je waarschijnlijk de enige. Iedereen die ik ken gebruikt hyves. Dat is stukken goedkoper dan sms'en.'

Ruben haalde zijn schouders op. 'Het boeit me niet wat anderen doen. Mijn vrijheid staat bij mij op nummer één. In de tweede klas was ik in het begin ook best actief op hyves. Maar ik kreeg er na een tijdje genoeg van. Ik vond het allemaal irritant gezeur worden.'

Ze liepen zwijgend verder.

'Hoe kwam je eigenlijk op het idee om bij De Artistiekelingen een nummer van Queen te zingen?' vroeg Linde.

'Dat was een deal met de muziekleraar. Ze kregen de avond niet gevuld en hij vroeg of ik wilde meedoen. Hij weet dat ik een aantal songs uit mijn hoofd ken en het zou me ook nog drie CKV-punten opleveren. Nou, daar zei ik geen nee tegen.'

'Maar die band is toch al behoorlijk oud?'

Hij aarzelde een paar seconden, alsof hij over een antwoord moest nadenken. 'Wat maakt dat nou uit? Ik ben al heel lang fan van ze. Eigenlijk sinds de muziekleraar me aanraadde om een spreekbeurt over Queen te houden.'

Inmiddels waren ze bijna bij de draaideuren beland. Er kwam een gereserveerde klank in zijn stem toen hij vervolgde: 'Ik was vroeger echt zo'n strebertje dat hoge punten wilde scoren. Ik kocht van mijn zakgeld zo'n wanddoek met Freddie Mercury erop, vertelde zijn levensverhaal, liet "I want to break free" horen, en bingo, ik kreeg een tien. Iedereen was natuurlijk hartstikke jaloers.'

Terwijl hij de draaideur openduwde en voor haar uit naar binnen liep, zei Ruben plotseling over zijn schouder: 'Vanmiddag, halfvier. In het zijstraatje bij V&D, daar wacht ik op je.' Hij vroeg niet eens of ze dan kon, nee, het was een mededeling. Blijkbaar ging hij ervan uit dat ze er zou staan.

In een strelend, bijna liefkozend gebaar gleden zijn vingertoppen heel even over haar wang. Toen schoot hij de garderobe in, Linde in blozende verwarring achterlatend. Ze vergat bijna uit de draaideur te stappen.

De hele ochtend bleef het regenen, zodat de meeste leerlingen in de kleine pauze binnen bleven.

'Wat is het toch een rotweer,' zei Anet tegen de anderen, terwijl ze de schuifdeur van het trappenhuis voor Jonne openhield. 'Zal ik jullie eens op een gevulde koek trakteren? Ik heb zin in iets lekkers.'

Maar er stond zo'n lange rij wachtenden in de kantine dat ze haar aanbod gauw weer introk. 'Jammer. Ik had me er juist zo op verheugd. Als jullie eens wisten hoe ik naar de zon verlang, naar de vakantie! Ik haat het om hier binnen gevangen te zitten en op de bel te wachten.'

'Anders ik wel,' verzuchtte Floor. 'Mijn moeder beweert altijd dat je jeugd de gelukkigste tijd van je leven is, als je er later op terugkijkt. Nou, dan ziet mijn toekomst er wel heel beroerd uit, met nog anderhalf jaar van dit soort dagen in het vooruitzicht.'

Ze praatten nog een tijdje door over wat er allemaal mis was aan hun schoolleven, met alleen maar proefwerken en docenten die veel te streng waren, slaapverwekkend les gaven of geen orde konden houden en dan ook nog elke dag dat vreselijke huiswerk, tot Jonne zich onverwachts tot Linde wendde.

'Wat ben je stil vandaag. Hoe was het gisteren bij je oma?'

Haar rechtstreekse vraag overviel Linde een beetje. Viel het zo erg op dat ze met haar gedachten niet helemaal bij hun gesprek was? Ook al waren het haar beste vriendinnen, toch moest ze zichzelf nu vermannen om eerlijk te zijn.

'Ik ben niet geweest. Het kwam me achteraf toch niet zo goed uit.'

Drie paar ogen staarden haar aan. Anet keek onderzoekend, Floor nieuwsgierig en Jonne ongelovig.

'Wij hebben gistermiddag ook geen film gekeken,' zei Anet vergoelijkend. 'Want ik kreeg toen we bij Floor zaten opeens een fantastisch idee en daar bleven we de hele tijd over brainstormen. We hebben namelijk besloten om dit jaar met zijn vieren op vakantie te gaan. Lekker relaxed een beetje campinghoppen, met de trein of de bus of liftend. Zoals het ons uitkomt.'

'Daarom gaan we vanmiddag wat reisbureaus plunderen. Voor campingadressen in Frankrijk,' voegde Floor er enthousiast aan toe. 'Meteen na school. Gaaf plan, hè?'

'Jammer, maar dan kan ik niet mee,' zei Linde teleurgesteld, 'want ik heb al met Ruben afgesproken.'

Er werden snel blikken over en weer gewisseld.

'Daar had je ons nog niets van verteld,' merkte Anet op, terwijl de twee anderen zwijgend meeluisterden. 'Wanneer hebben jullie dit afgesproken?'

'Vanmorgen.'

'Vanmorgen?' echode Anet verbaasd.

'Ja, vanmorgen,' herhaalde Linde. 'Je bent toch niet doof?'

'Maar wanneer dan?'

'Ik kan je helaas niet het exacte tijdstip geven,' zei Linde licht geïrriteerd, 'maar het zal rond acht uur geweest zijn. Ik kwam hem bij de fietsenstalling tegen. Vlak voordat ik me bij de conciërge ging melden.'

Na een paar seconden vervolgde ze: 'Ik ga trouwens graag met jullie mee op vakantie. Het lijkt me inderdaad een hartstikke goed plan. Maar vanmiddag kan ik echt niet en ik ga niks afzeggen ook. Mijn afspraak met Ruben was gewoon eerder gemaakt. Sorry.'

Anets mond werd een smalle streep en Linde zette zich inwendig al schrap voor haar afkeurende opmerking. Maar gelukkig ging op dat moment de eerste bel en was de pauze voorbij.

'Nou, veel plezier. Hopelijk blijft het droog,' zei Anet enigszins koel, toen ze 's middags het schoolgebouw verlieten. 'O ja, vergeet niet thuis te vragen of je met ons mee mag. We horen het nog wel van je. Schiet je een beetje op, Jonne? Wij gaan alvast, hoor.'

Zonder om te kijken fietste ze even later samen met Floor weg.

Linde staarde hen na.

'Wat doet Anet vreemd,' merkte ze op tegen Jonne, die druk bezig om haar rugtas onder de snelbinders te krijgen.

Jonne richtte zich op en blies een paar haren uit haar gezicht.

'Anet maakt zich een klein beetje zorgen om je,' zei ze kalm. 'Ze is bang dat je ons gaat verwaarlozen.'

'Wat een onzin. Ik kan er toch ook niks aan doen dat ik niet mee kan?' verdedigde Linde zich. 'Jullie spreken samen dingen af buiten mij om. Dan hadden jullie eerst met me moeten overleggen.'

Over Jonnes antwoord moest Linde toch een tijdje nadenken, toen ze even later links afsloeg naar V&D. 'Weet je dat eigenlijk wel zeker, Linde?' had Jonne gezegd. 'Want stel nou dat de afspraak met Ruben later gemaakt was, had je dan tegen hem gezegd dat je vanmiddag niet kon?'

Had Jonne daar gelijk in? Misschien wel een beetje, moest Linde zichzelf eerlijk bekennen. Ruben weer terugzien vond ze op dit ogenblik inderdaad belangrijker dan met de meiden op folderjacht. Hoewel het idee van met zijn vieren op vakantie gaan haar ook erg aantrok.

Wat maakt het hun nou in vredesnaam uit dat ik verliefd ben, we kunnen toch gewoon vriendinnen blijven, dacht ze geërgerd. Ze moeten er alleen af en toe rekening mee houden dat ik nu een vriendje heb. Verder is er niks aan de hand.

11

Freespirit-blogspot.com
Onderwerp: Straks
Plaats: Mediatheek
Tijd: 22 april, 14.30 uur

*Happy hour! Ik mag me hier weer te pletter gaan vervelen. Ze heeft
me inderdaad de les uit gestuurd.*
*Ik heb ergens op internet gelezen dat iemand zijn oude leven te koop
aanbood: zijn huis, auto, meubilair, zelfs zijn baan en vrienden,
om met de opbrengst naar de andere kant van de wereld te emigre-
ren en daar een nieuw bestaan op te bouwen. Zijn relatie was
stukgelopen en hij wilde letterlijk en figuurlijk van alle rotzooi
af.*
*Het klonk nogal weird, vond ik toen, maar nu kan ik me dat wel
voorstellen. Het zou best handig zijn als je je oude shit zomaar van
je af kon schudden, zonder dat het als een pop-up op de meest on-
verwachte momenten tevoorschijn floept. Zoals me vanmorgen over-
kwam, toen Hé-jij-daar ineens naar mijn act informeerde en ik zo
stom was om zomaar over mijn spreekbeurt te beginnen. Maar ja,
daarvoor had ze het over hyves gehad, dus ik voelde me al enigszins
door het verleden overvallen.*
*Als ik nu aan die periode terugdenk, word ik opnieuw razend. Ter-
wijl ik er toch echt van overtuigd was dat ik mijn emoties inmiddels redelijk onder controle kan houden. Maar ik weet de oplossing.
Nog even een jaartje in deze gevangenis volhouden en dan trek ik de
deur van mijn oude bestaan voorgoed achter me dicht. Jammer voor*

mijn kleine zusje, maar na mijn eindexamen ga ik zo snel mogelijk
op kamers! Ook een manier om te overleven.
Ik kijk uit naar vanmiddag. Ik ben benieuwd of ze echt komt.

Het was niet moeilijk om Ruben in de winkelende mensenmassa te ontdekken. Hij stond vlak bij de draaideur van
V&D en torende boven iedereen uit. Linde zag dat de mensen met een klein boogje om hem heen liepen, alsof ze hem
uit de weg gingen.
Ze zette haar fiets op slot, liep verlegen op hem af en voelde
in haar verbeelding alle blikken nieuwsgierig haar richting
uit gaan.
Ze wist niet goed hoe ze Ruben hier in het openbaar moest
begroeten. Ze verlangde er zo verschrikkelijk naar om zich in
zijn armen te gooien en hem overal te zoenen, zijn lippen,
het puntje van zijn neus, zijn voorhoofd... Maar aan de andere kant wilde ze ook niet al te opdringerig en aanhankelijk
overkomen.
Ruben loste het probleem vanzelf voor haar op. Hij trok haar
in zijn armen en begon haar heftig te zoenen en toen vergat
ze haar hele omgeving en gaf zich volledig over aan zijn om-
helzing. Zijn handen verdwenen onder haar jack en begonnen haar rug te strelen. Haar buik. En hoger.
O, wat was dit heerlijk! Ze vergat alles om zich heen tot ze op
een gegeven moment voelde dat iemand haar een por in haar
rug gaf en ze een mannenstem brommerig hoorde opmerken:
'Hé, mensen, ga eens even ergens anders staan vrijen! Jullie
blokkeren de ingang. Ik kan hier niet eens naar binnen.'
Linde draaide haar hoofd opzij en ontdekte dat ze voor de
deur van het reisbureau naast V&D stonden. Gauw maakte
ze zich van Ruben los. Ze wilde liever niet dat de meiden
haar hier zoenend zouden aantreffen.
'Nou niet meer, joh! Iedereen kan ons zien!'

'So what,' mompelde hij in haar oor. 'Wat kan het je schelen? Dit had ik eigenlijk vanmorgen al willen doen. Ik moet nu mijn gemiste kans inhalen.'

Zijn lippen zwierven weer in de richting van haar mond, maar Linde draaide vlug haar hoofd opzij en duwde hem van zich af.

'Ik heb dorst. Zullen we ergens iets gaan drinken? Ik weet een leuk café op het marktplein. Daar ging ik wel eens met mijn oma naar toe.'

Met lichte teleurstelling in zijn stem stemde hij in.

Het slechte weer joeg veel mensen naar binnen en geleidelijk aan begon het tot Lindes opluchting wat voller te worden. Ze voelde zich een beetje opgelaten. In haar herinnering was het hier vroeger veel gezelliger. Kwam dat omdat haar oma er toen bij was, met wie ze altijd honderduit kon kletsen? Ruben was niet erg behulpzaam om het gesprek op gang te houden en gaf telkens korte antwoorden als ze iets vroeg. Ze was er inmiddels achter gekomen dat hij dol op zijn kleine zusje was. Een lief verwend nakomertje noemde hij haar, een kind met een gebruiksaanwijzing. Toen Linde vroeg wat hij daarmee bedoelde, legde hij uit dat Eva niet goed tegen veranderingen kon. Dan raakte ze over haar toeren en ging slaapwandelen. 'Ik heb haar een keer op zolder bij het open raam aangetroffen, op weg naar de dakgoot. "I want to break free", maar dan wel erg letterlijk opgevat.'

Hij had op zijn beurt moeten lachen om haar beschrijving van Merels pubergedrag en hij kon zich ook nog herinneren hoe vals zij bij De Artistiekelingen op haar dwarsfluit gespeeld had. 'Alsof je een cirkelzaag op mijn trommelvliezen zette.' Daarna was hij weer stil geworden.

Misschien voelt hij zich hier niet op zijn gemak, dacht Linde. Het was haar opgevallen dat Ruben in de deuropening kritisch om zich heen gekeken had. Zijn ogen taxeerden de rode pluchen stoelen, de goudomrande spiegels en de kristallen kroonluchter in het midden van de ruimte. Maar hij had niets gezegd en een tafeltje in de hoek gekozen, achter een grote plastic palm. Tien minuten geleden had een ober verveeld hun bestelling opgenomen.

'Een pils van de tap en een icetea. We hebben ook lekkere bitterballen. Nee? Dit is alles?'

Vervolgens was hij niet meer teruggekomen.

Raar dat het zo lang moet duren, peinsde Linde verder. Zou hij ons soms vergeten zijn? Maar toen ze even later merkte dat hij bij twee andere klanten, die veel later dan zij binnengekomen waren, de bestelling allang gebracht had, vond ze het een vervelende situatie worden. Rusteloos liet ze een bierviltje tussen haar vingers ronddraaien.

Ruben leunde naar achteren en zei dwars door haar gedachten heen: 'Waarom kijk je opeens zo afwezig? Slechte herinneringen aan je oma? Heeft ze soms een keer alle bitterballen in haar eentje opgegeten?'

Toen ze niet op zijn vraag reageerde, volgde hij haar blik en fronste zijn wenkbrauwen. 'Ik was er al bang voor toen we binnenkwamen: altijd hetzelfde gedonder in zo'n ballentent. Voor alleen twee simpele drankjes lopen ze niet hard.'

Hij stak zijn hand omhoog en riep luid en duidelijk verstaanbaar: 'Ober!'

Maar de man draaide hem de rug toe en begon op zijn gemak met een van de klanten af te rekenen.

Ze werden inderdaad genegeerd.

'Wat een waardeloze bediening hier,' zei Ruben grimmig. Een paar klanten keken verrast op toen hij met een bruusk gebaar zijn stoel naar achteren schoof en zijn jack van de leuning greep. 'Ik ga weg. Kom je mee? Ik wil hier geen minuut langer blijven.'

Linde volgde schoorvoetend zijn voorbeeld.

Pas toen ze al bijna bij de deur waren, maakte de ober aanstalten hun richting uit te komen. Op zijn dienblad stonden een verschraald biertje en een ongeopend flesje icetea.

'Sorry dat het zo lang duurde,' zei hij met een uitgestreken gezicht, 'het is opeens waanzinnig druk geworden, zoals je ziet. Maar hier is jullie bestelling.'

'Drink die kattenpis maar lekker zelf op, man!' snauwde Ruben, terwijl hij zijn middelvinger opstak. 'Hier is je fooi!' Toen verdwenen ze snel naar buiten.

Het begon weer te regenen. Ze verlieten het marktplein en liepen naast elkaar terug in de richting van de winkelstraat. Al die tijd zei Ruben geen woord. Er lag een verbeten trek om zijn mond. Hij hield zo'n hoog tempo aan dat Linde af en toe een kleine tussensprint moest nemen om zijn snelheid bij te kunnen houden. Pfff, het leek wel een hardloopwedstrijd!

Toen ze langzamerhand buiten adem begon te raken en bijna struikelde over een scheef liggende stoeptegel, leek hij zich pas te realiseren waar hij mee bezig was.

Zijn blik verzachtte.

'O sorry, loop ik te hard voor je?' zei hij verontschuldigend, terwijl hij stilstond en beschermend een arm om haar heen sloeg. 'Ik was daarnet kwaad op mezelf, omdat ik me zo door die ober had laten opfokken.'

Met een onhandig gebaar veegde hij een paar haarslierten uit haar gezicht.

'Het was een beetje lomp van mij, bedenk ik me nu. Want jij had dat café uitgekozen. Zou ik een strippenkaart met allemaal sorry's bij je kunnen regelen?'

Zijn zorgzaamheid vertederde haar. 'Ik voel me niet beledigd, hoor! Die man zat ons expres te stangen. Ik kan best begrijpen dat je het niet pikte.'

'Zullen we nog ergens anders naartoe gaan? Je bent hartstikke nat geworden, zie ik.'

Ze keek snel op haar horloge. Al kwart voor vijf. Hmm. 'Ik ben bang dat het dan te laat wordt. Mijn moeder komt zo dadelijk van haar werk en ze vindt het vervelend als ze niet weet waar ik uithang.'

'Dat herken ik. Mijn moeder was vroeger ook zo overbezorgd,' zei Ruben met een scheef lachje. 'Ze schoot altijd zwaar in de stress als ik te laat thuiskwam. Terwijl ik juist zo'n braaf en gehoorzaam jongetje was! Jij wilde vanmorgen toch weten waarom ik niet aan hyves deed? Nou, ik zal je de reden uitleggen.'

Hij liet haar plotseling los en staarde over haar hoofd in de verte, zijn gezicht glimmend van de regen.

'In de tweede klas werd ik gepest, door drie van die grote stoere jongens uit mijn klas. Omdat ik klein voor mijn leeftijd was en ze wisten dat mijn vader bij de politie werkt, hadden ze het op mij gemunt. Op school deden ze niets, dan durfden ze niet. Maar ze wachtten me altijd ergens buiten op.'

Linde keek hem van opzij aan. Maakte hij soms een grapje? Zijn stem klonk luchtig, bijna alsof hij een anekdote vertelde. Maar Rubens gezicht stond serieus. In een spontaan gebaar greep ze zijn rechterhand. Ze slenterden de winkelstraat weer in, hun vingers in elkaar gevlochten.

'Dan sloegen ze me in elkaar, prikten mijn band lek of gooiden mijn rugtas in de sloot. Mijn moeder ging elke keer flippen als ik weer huilend op de stoep stond. Maar mijn vader noemde me een watje, een sukkel. Dat ze me vaak met zijn drieën tegelijk aanvielen, kon hem niets schelen. Ik moest mezelf maar eens leren verdedigen en mijn vuisten gaan gebruiken, zei hij. Ik wilde toch geen jankend moederskindje blijven?'

Linde voelde hoe de regen nu langs haar haren tot in haar nek begon door te sijpelen. Terwijl ze aandachtig bleef luisteren, trok ze met een lichte huivering de kraag van haar jack wat hoger op.

'Na mijn spreekbeurt over Queen beschouwden die drie mij opeens als een loser in het kwadraat, omdat ik verteld had dat ik Freddie Mercury fantastisch vond. Wie werd er nou fan van iemand die homo was, beweerden ze. Alleen idioten die het zelf ook waren. Toen ze ook nog allemaal stomme krabbels op mijn hyvespagina begonnen te plaatsen, heb ik mijn account verwijderd en ben met hyven gestopt.'

Ze waren inmiddels weer bijna terug bij de plek waar Linde haar fiets op slot had gedaan. Voor de etalage van V&D stond Ruben opeens stil. Hij keek haar vluchtig aan en wendde toen zijn blik af.

'Dat is nu allemaal voorbij. Ik ging op karate en niemand durfde me daarna nog met één vinger aan te raken. Ze waren veel te bang voor mijn vuisten, want ik sloeg onmiddellijk terug. En keihard!'

Zijn woorden klonken aannemelijk, maar Linde kreeg op de een of andere manier het gevoel dat hij maar de halve waarheid vertelde. Hij liet expres iets in zijn verhaal weg. Iets wat hem nog steeds dwarszat.

Er buitelden allemaal vragen door haar hoofd, maar toen hij haar weer in zijn armen trok, dicht tegen zich aan, vergat ze alles. Zijn lippen belandden in haar nek en kropen tastend, zoekend omhoog naar haar mond. Terwijl hij haar vurig begon te zoenen, verloor ze elk besef van werkelijkheid, zelfs het feit dat ze langzamerhand doornat begon te worden. Alleen Ruben bestond nog.

12

Moe en natgeregend stak Linde tegen zessen de sleutel in het slot. Haar wangen gloeiden, ze had hard tegen de wind in moeten fietsen. Ze glimlachte dromerig, terwijl ze terugdacht aan Rubens laatste woorden. Zo romantisch! Natuurlijk wilde hij haar ook zo snel mogelijk weer terugzien. 'Morgen dezelfde tijd, dezelfde plaats,' had hij bij hun afscheid afgesproken. 'Als ik eraan denk, zal ik straks een nieuw profiel op hyves aanmaken en je toevoegen. Onder een andere naam, dat wel. Dan kunnen we inderdaad gemakkelijker iets met elkaar afspreken.'

Na het eten blijf ik continu achter de computer zitten, zei ze in zichzelf. Merel kan het dit keer schudden dat ze haar mail mag checken.

Nauwelijks had Linde de voordeur achter zich dichtgetrokken of haar zusje kwam de keuken uit stormen. Ze was woedend.

'Linde, je wordt hartstikke bedankt! Er hing een briefje op de koelkast dat wij vandaag moesten koken, want mama en papa komen laat thuis. Maar ik wist niet waar je uithing en mocht dus alles in mijn eentje opknappen, terwijl ik morgen een zwaar proefwerk heb!'

Met lome bewegingen hing Linde zwijgend haar jack op en schudde de natte haren uit haar gezicht.

Ze rilde. Ze was helemaal doorweekt en verkleumd.

Ik ga denk ik nu maar eerst in bad, dacht ze.

'Ik heb ook Anet en Jonne en Fleur gebeld en die wilden niet eens vertellen wat je aan het uitspoken was,' raasde Merel verder. 'Ik moest het maar zelf aan je vragen, zeiden ze. Lekker handig, hoor.'

Nog steeds reageerde Linde niet.

Ze wierp in het voorbijgaan een blik in de gangspiegel en zag hoe de huid rond haar lippen licht geschaafd was. Dat kwam vast door Rubens baardstoppeltjes. En haar haren... Vreselijk! Die hingen als gecrashte dreadlocks om haar gezicht!

Toen ze vlak bij de keukendeur was, kwam de bekende geur van tomaten, gehakt en basilicum haar tegemoet walmen. Ze rimpelde haar neus.

'Wat eten we? Toch geen spaghetti met saus uit een pakje, hoop ik?' Waarna Merel helemaal uit haar vel sprong.

Het was halftien 's avonds. Teleurgesteld schoof Linde de bureaustoel een stukje naar achteren, vouwde haar handen in haar nek en dacht na.

Ze was de hele tijd online geweest, maar Ruben had zich niet op haar hyves aangemeld. De enige die haar vandaag een krabbel gestuurd had, was Anet: 'Onze folderjacht was één groot succes: we barsten van de informatie! Gaaf, hè! Tot morgen, Linde! Vergeet je het niet te vragen?'

Dat was alles. Geen moment wilde Anet weten hoe het vanmiddag met Ruben was geweest. Ze was alleen maar geïnteresseerd in hun vakantieplannen.

Peinzend staarde ze naar het beeldscherm. Hoe zou Anet reageren als ze haar terugschreef dat ze een fantastische middag met Ruben had doorgebracht en hem beter had leren kennen? Dat hij heel anders was dan hij aan de buitenkant leek? Ze zuchtte. Anet zou direct met haar commentaar klaarstaan zodra ze over het voorval met die ober hoorde: 'Zie je nou wel dat ik gelijk had? Die jongen spoort niet. Belachelijk om zo'n kort lontje te hebben!' Nee, ze hield het maar liever voor zich.

Geeuwend rekte Linde zich uit. Waarom zocht Ruben nou geen contact met haar? Ze verlangde er zo hevig naar om even met hem te praten. Alleen maar om hem te vertellen hoe bijzonder ze deze middag gevonden had, dat was al voldoende.

Maar er kwam geen bericht binnen.

De volgende dag zag Linde Ruben op school alleen af en toe ergens in de verte lopen. In zijn eentje, met zijn eeuwige iPod op. Geen enkele keer kwam hij naar haar toe of liet hij merken dat ze samen iets hadden. Toch stond hij 's middags weer op precies dezelfde plek en op dezelfde tijd op haar te wachten: om halfvier, in het straatje bij V&D. Tussen twee zoenen in zei hij verontschuldigend: 'Sorry, Linde. Ik eh... ik had gisteravond geen tijd, maar dat hyvesaccount komt er heus. Dat beloof ik je. Misschien schrijf ik je zelfs nog eens een brief, als ik een goede reden heb. Een liefdesbrief van minstens drie kantjes, die ik dan ouderwets in een envelop schuif en persoonlijk kom langsbrengen. Maar nu staat mijn hoofd er even niet naar.'

Ze vond het diep in haar hart zwak van zichzelf, toen dit proces zich de dagen daarop bleef herhalen en ze het allemaal accepteerde alsof ze het heel gewoon vond. Maar ze kon niet anders. Ze was telkens weer hartstikke blij en gelukkig als ze hem 's middags terugzag.

Hun favoriete plek werd een beschut bankje in een park aan de singel. Daar ploften ze altijd neer, als ze de winkelstraat al pratend en zoenend door waren geslenterd. Langzamerhand begon Linde Ruben beter te leren kennen. Ze ontdekte dat hij regelmatig op dezelfde vraag terugkwam, iets wat hem kennelijk bezighield: 'In hoeverre moet je je verant-

woordelijk blijven voelen voor je daden uit het verleden?'
'Wat vroeger gebeurd is, kun je toch niet meer veranderen,'
merkte Linde dan nuchter op. 'Dus waar maak je je uiteindelijk druk over? Ik zou denk ik gewoon doorgaan met mijn
leven.'
Maar Ruben was het niet met haar eens. 'De twee piloten die
in de Tweede Wereldoorlog de atoombommen op Japan hebben gegooid, wisten toen niet dat er zo veel mensen bij dood
zouden gaan. De rest van hun leven hebben ze zich schuldig
gevoeld.'
Hij vertelde dat hij ergens had gelezen hoe een van die piloten expres diefstallen was gaan plegen, om maar veroordeeld
te worden. Uiteindelijk werd hij ontoerekeningsvatbaar verklaard. De andere piloot raakte zwaar aan de drank en de pillen en belandde ten slotte in een inrichting.
Linde vond het maar een raar verhaal. 'Waarom wilden ze
zichzelf per se de vernieling in helpen? Ze konden er in feite
toch niets aan doen? Ze wisten van tevoren niet wat de gevolgen zouden zijn, ze volgden alleen maar de bevelen van
hun meerderen op.'
'Maar begrijp je het dan niet? Als je achteraf tot de conclusie moet komen dat jouw actie tot verschrikkelijke resultaten heeft geleid, ook al kon je die toen nog niet overzien, hoe
ga je dan later met dit schuldgevoel om? Misschien hebben
mensen diep vanbinnen wel de behoefte om voor hun daden
gestraft te worden. Om hun geweten op deze manier te kunnen zuiveren.'
Maar daar geloofde Linde niets van. 'Als je zo blijft redeneren, ga je op den duur aan je eigen fouten kapot. Mensen
doen nu eenmaal soms stomme dingen.'
'Zou het anders een oplossing zijn geweest als die twee
piloten hun meerderen voor de rechter hadden gesleept?'
vroeg hij zich een paar dagen later af. 'Dat ze hen hadden

aangeklaagd, omdat zíj opdracht hadden gegeven die bommen te gooien? Zou je ook je schuldgevoel kunnen kwijtraken door je eigen verantwoordelijkheid op anderen af te schuiven?'

Daar wist Linde geen pasklaar antwoord op. 'Waarom klaagden ze dan ook niet meteen de president van Amerika aan? Of de uitvinder van de atoombom? Op die manier is iedereen wel ergens schuldig aan zonder dat hij dat beseft,' zei ze ten slotte. 'Je piekert te veel, Ruben. Ik snap niet waarom dit zo belangrijk voor je is.'

'Laat ik het dan eens anders stellen. Als je nou toevallig iets ontdekt hebt wat het leven van sommige mensen kan beïnvloeden en je houdt daar bewust je mond over,' antwoordde hij voorzichtig, 'ben je dan wel of niet voor de gevolgen verantwoordelijk omdat je dit feit verzwegen hebt?'

'Dit klinkt mij echt te vaag. Ik begrijp er nu helemaal niks meer van,' was Lindes reactie. 'Waarom blijft deze vraag jou zo dwarszitten? Het heeft toch niks met jou te maken?'

Maar Ruben wendde zwijgend zijn hoofd af en schakelde over op een ander onderwerp.

's Avonds in bed dacht ze vaak terug aan hun gesprekken.

Ze had hem ook een keer gevraagd waarom hij zo weinig vrienden had. Zijn antwoord had haar verbaasd. 'Daar heb ik geen behoefte aan. Ik wil me niet meer hechten aan mensen. Dat maakt je afhankelijk. En je loopt de kans door ze gekwetst te worden. Daarom vertrouw ik niemand meer. Ik wil me aan alle kanten vrij voelen. Mijn leven kunnen leiden zoals ik het wil.'

Toen ze hem teleurgesteld had aangekeken, had Ruben haar in zijn armen getrokken en in haar oor gefluisterd: 'Ik heb geloof ik alweer een sorry op je strippenkaart verspeeld. Natuurlijk wil ik voor jou een uitzondering maken.'

Met deze woorden probeerde hij de scherpe kantjes van zijn

opmerking glad te praten, hoewel ze er niet achter kon komen waar hij zijn sombere visie op gebaseerd had.

Telkens weer vond Linde het spijtig dat de meiden niet wilden luisteren als ze het onderwerp Ruben bij hen aankaartte.
Hij was veel serieuzer van aard dan ze hem ingeschat hadden.

13

Freespirit-blogspot.com
Onderwerp: Shitzooi
Plaats: Thuis
Tijd: 10 mei, 22.30 uur

Het bekende verhaal. Pa kwam weer veel te laat thuis. Het was
hartstikke duidelijk waar hij geweest was. Er hingen wolken par-
fum om hem heen. Hij had weer moeten overwerken, beweerde hij.
Zijn bekende excuus. De stemming tijdens het eten werd daardoor
weer eens lekker verpest. Hij en ma zeiden geen woord tegen elkaar en
ik hield me dit keer ook maar gedeisd. De enige die nergens last van
had en dwars door de stilte heen bleef ratelen, was mijn kleine zusje.
Eigenlijk heb ik bewondering voor ma. Klasse, zoals zij in hun re-
latie blijft geloven. Ze wil gewoon niet zien hoe pa steeds verder van
ons wegdrijft. Met al zijn overuren zou hij toch minstens hoofdcom-
missaris moeten zijn. Maar ze moffelt alle bewijzen dat hij vreemd-
gaat onder het vloerkleed, zelfs de dienstreis. Ze zegt dat deze periode
vanzelf weer zal overwaaien. Pa werkt volgens haar keihard en in
elk huwelijk komt weleens een dipje voor. Ze blijft ervan overtuigd
dat pa ons nooit zal verlaten. Omdat hij van ons houdt en weet dat
een scheiding voor mijn zusje rampzalig zou zijn. Dat zijn haar let-
terlijke woorden.
Ik had pa allang eruit getrapt. Hij gebruikt ons huis als hotel, voor
de rest is hij bijna nooit thuis of hij verziekt de sfeer met zijn rot-
buien. Hij doet het natuurlijk zichzelf aan, maar ik voel me ook
verantwoordelijk voor deze shitzooi. Als ik vroeger niet zo stom was

geweest om dat vlindermes mee naar school te nemen, hadden ze el-
kaar nooit ontmoet. Om in de termen van de coördinator te spreken:
het getuigt niet van veel respect zoals zij pa toen naar zich toe ge-
harkt heeft! Ik begin haar steeds meer te haten. Ze ruïneert ons hele
gezinsleven.

Een paar weken later ging Linde op zaterdagmiddag bij haar
oma in het verzorgingstehuis op bezoek. Omdat Ruben al
haar tijd opslorpte, had ze haar al tijden niet meer gezien. Ze
voelde de behoefte om weer eens lekker bij te kletsen. Haar
oma had het altijd haarscherp door als ze ergens over zat te
piekeren en was oprecht geïnteresseerd in haar leven. Heel
anders dan haar moeder. Als ze haar nu alles over Ruben zou
vertellen, zou ze onmiddellijk zeggen dat ze het beter kon
uitmaken. Veel te veel problemen. Er waren genoeg andere
leuke jongens op de wereld.
Linde werkte net gedachteloos haar zesde koekje naar binnen, zich afvragend hoe ze het beste zou kunnen beginnen,
toen haar oma zich plotseling naar voren boog, een hand op
haar arm legde en zei: 'Wat ben je stil, Linde. Is er iets?'
Ze knikte en zei met volle mond: 'Oma, ik ben verliefd.'
'Ja, zoiets vermoedde ik al. Maar je maakt geen gelukkige indruk. Is het soms niet wederzijds?'
Linde mompelde iets onverstaanbaars en verslikte zich in een
paar koekkruimels. Toen ze vorig jaar verliefd was op een
jongen die twee klassen hoger zat, duurde het vijf koekjes,
twee koppen thee en een vergelijkbare hoestbui, voordat ze
haar oma had durven opbiechten dat hij haar zelfs nog nooit
had zien staan. Haar oma had droog opgemerkt dat daar ook
een voordeel aan kleefde: dan hoefde je het in elk geval niet
uit te maken als je niet meer verliefd was. Daar had Linde
toen verschrikkelijk de slappe lach om gekregen, waarna
haar rotgevoel gelukkig verdwenen was.

91

Geduldig wachtte haar oma tot ze uitgehoest was en de rest van de kruimels met een slok thee weggespoeld had.

'Ja hoor, oma. Dat is het probleem ook niet. Ik weet zeker dat hij ook verliefd op mij is.'

Ze boog zich naar voren om een zevende koekje te pakken. Gelukkig deed haar oma snel het deksel op de trommel en zette hem veilig uit haar buurt. 'Wat is er dan aan de hand? Je bent nog zo heerlijk jong en gezond. Verliefd zijn is toch het leukste wat je kan overkomen?'

Linde schudde somber haar hoofd. 'Nee, het is een ramp. Vandaag is het precies drie weken aan tussen ons, maar nu al vinden mijn vriendinnen dat ik ze verwaarloos. Omdat ik na school niet meer zoveel met hen optrek en vaak met mijn gedachten ergens anders zit. Maar ik kan er gewoon niks aan doen. Ik moet de hele tijd aan hem denken en daar ergeren ze zich dan weer aan.'

Ze dacht terug aan gistermiddag, toen ze in de grote pauze een lichte aanvaring met de meiden had gehad.

'Wat mankeert je toch, Linde? Ik vraag je nu voor de zoveelste keer of je het thuis al over de vakantie gehad hebt,' had Anet vinnig opgemerkt. 'Ik snap niet waarom je zo sloom blijft doen.'

'Wat denk je nou zelf, Anet?' had Jonne met een flauwe grijns gezegd.

En Floor had er sussend aan toegevoegd: 'We willen alleen maar zeker weten of je met ons mee mag, Linde. Want dan kunnen we met zijn állen een routeplanning maken. Jouw mening is net zo belangrijk! Hè, ik heb echt zin in deze vakantie. Jij toch ook? Het lijkt me fantastisch, zo met zijn vieren.'

Ze had braaf geknikt. Wat moest ze anders? Het zou niet erg geïnteresseerd klinken als ze zou bekennen dat ze weer vergeten was het aan haar ouders te vragen. Maar haar hoofd zat op dit moment vol met Ruben: de manier waarop zijn gezicht begon te stralen als hij haar aan zag komen lopen, alsof ze het enige leuke meisje op de hele wereld was! Zoals hij haar daarna zoende, vastpakte, tegen zich aan gedrukt hield, zijn strelende handen overal liet dwalen... Hun bijzondere gesprekken... Ja, ze verdronk helemaal in hem. Maar daardoor leek er in haar hoofd opeens minder plaats over voor simpele dingen, zoals vakantie en huiswerk.

'Zijn ze soms jaloers?'

De stem van haar oma riep Linde weer terug naar de werkelijkheid.

Ze fronste haar voorhoofd. 'Nee, ze maken zich eigenlijk een beetje ongerust om me. Ze zeggen dat ik aan het veranderen ben. Ze vinden me stil en ongezellig en zo. Maar als ik wat over hem wil vertellen, beginnen ze meteen over iets anders. Ze doen gewoon alsof hij niet bestaat.'

Ze woelde door haar haren. 'Weet je wat nou zo grappig is, oma? Ik vond hem eigenlijk vanaf het begin al heel leuk. Maar zodra ik hem hoorde zingen, viel ik pas echt voor hem. Als een blok. Het lijkt wel of ik toen al aanvoelde dat hij naast dat stoere gedrag van hem ook heel zorgzaam en aanhankelijk en lief kan zijn. Want dat is hij.'

'Wat vinden je vader en moeder van hem?'

Schoorvoetend bekende Linde dat hij nog niet bij hen thuis was geweest. Daarvoor was het nog te kort aan. Ze wisten zelfs nergens van en vermoedden hooguit iets. Maar dat kwam meer door de bedekte toespelingen van Merel, die haar sinds de muziekavond met argusogen was gaan bestuderen.

Terwijl haar oma een bedenkelijk gezicht trok en voorzichtig informeerde of het dan misschien die aparte jongen was over wie haar zusje het een keer had gehad, voelde Linde haar drift opvlammen.

'Nou, Ruben kan toevallig heel mooi zingen! Het klonk

stukken beter dan dat walgelijk valse deuntje dat Merel uit haar dwarsfluit wist te persen.'

Haar oma glimlachte fijntjes. 'Hij heet dus Ruben. In welke klas zit hij?'

'In de vijfde.'

'Merel vertelde me over die clip. Ze vond het erg grappig, zoals hij die foto erin verwerkt had. Heeft hij jou ook uitgelegd waarom hij zo'n intense hekel heeft aan die docent?'

Linde staarde naar haar handen. 'Mijnsma heeft hem een keer een rotstreek geleverd, zegt hij. Daarom wilde hij haar terugpakken. Meer weet ik er niet van. Hij praat niet graag over school. We hebben het samen over heel andere dingen.'

Moeizaam hees haar oma zich uit haar stoel omhoog. Terwijl ze voorzichtig de kopjes op het blad van de rollator plaatste, zei ze over haar schouder: 'Hmmm. Dat zegt wel iets over zijn karakter, Linde. Hij zit vast complexer in elkaar dan je denkt. Doe het voorlopig maar kalm aan. Probeer hem eerst maar eens een beetje beter te leren kennen, voordat je eh... verder met hem gaat.'

'Je hoeft je nergens zorgen over te maken, oma,' zei Linde met een diepe zucht. 'Ik zal heus geen rare dingen doen. Maar één ding weet ik zeker: ik ben waanzinnig verliefd op hem.'

14

Toen Linde thuiskwam, trof ze haar zusje en moeder in de gang aan, verwikkeld in een heftige discussie of ze nu wel of niet uitgerekend op deze zaterdag een beha voor Merel moesten gaan kopen.

'Volgende week kan het ook,' hield haar zusje koppig vol. 'Ik leef al dertien jaar zonder. Daar kunnen best nog een paar dagen bij.'

Na eerst nog de belofte te hebben afgeperst dat ze na het winkelen cola met appeltaart zou krijgen, in het café op het marktplein, legde ze zich er uiteindelijk onder luid protest bij neer.

'Heb je zin om mee te gaan?' vroeg haar moeder hoopvol aan Linde. 'Dan kun je ons raad geven.'

Maar Linde schudde haar hoofd. 'Liever niet. Ik ben net thuis. Jullie krijgen trouwens de groeten van oma. Waar is papa?'

Haar vader bleek in de keuken de krant te lezen.

Met een tevreden gevoel verschanste Linde zich even later boven in de studeerkamer achter de computer. Wat een rust in huis, nu haar zusje was verdwenen. Ik ben benieuwd waar Merel straks mee thuiskomt, dacht ze vol leedvermaak, terwijl ze de computer opstartte. Ze wil waarschijnlijk net zo'n dun kanten geval hebben als iedereen. Nou, ik benijd mama niet. Met die miniborstjes van Merel wordt dat vast een megaprobleem.

Beneden hoorde ze de voordeurbel, gevolgd door het geluid van haar vaders voetstappen in de gang.

'Hé, jullie hier?' ving ze zijn verraste woorden op. Daarna klonk er gemurmel van stemmen die verdacht veel leken op die van Anet en Jonne.
Ze luisterde met gespitste oren. Maar toen kort daarna de voordeur dichtsloeg en de stilte in huis terugkeerde, nam ze aan dat ze zich vergist had. Natuurlijk waren het niet haar vriendinnen geweest. Anders had haar vader haar wel gewaarschuwd of waren ze vanzelf wel naar boven gekomen.
Toen ze haar mail gecheckt had, surfte ze naar hyves. Haar hart sloeg een slag over van opwinding. Er was een vriendenuitnodiging binnengekomen, van ene Free Spirit…
Vlug opende ze het profiel en las:

Free Spirit
Leeftijd: 17 jaar
School: living hell on earth
Muziek: Queen
Hekel aan: vooroordelen, schijnheilig gedrag en de irritante knaagfabriekjes van mijn zusje. Voor de tigste keer hebben ze het snoer van mijn geluidsbox doorgeknaagd. Next time I will barbecue them!

Ze staarde glimlachend naar het beeldscherm. Ja, dit was Ruben.
Ze accepteerde zijn uitnodiging en wilde hem een lieve krabbel terugsturen om te laten weten hoe blij ze was dat ze nu eindelijk ook eens samen konden chatten, toen ze plotseling de stem van haar vader achter zich hoorde opmerken: 'Hier zit je dus. Ik wil eens met je praten, Linde.'
Geschrokken draaide Linde zich om. Ze had hem helemaal niet naar boven horen komen! Ze voelde zich betrapt.
Hij trok een stoel bij en staarde naar Rubens hyvespagina, waar een gadget op afgebeeld stond met allemaal lichamen in een ingewikkeld kluwen boven op elkaar gestapeld.

96

'Hé, wat toevallig! Dat beeld herken ik, dat is een clip van Queen. Start hem eens op, wil je?'

Ze klikte de gadget aan en samen keken ze naar het filmpje dat Ruben bij De Artistiekelingen had gebruikt. In gedachten liet Linde Ruben op de achtergrond meezingen.

'*I don't want to live alone, hey...*'

Ze herinnerde zich weer hoe hij haar bij dit zinnetje strak was blijven aankijken en ze glimlachte vertederd. Ja, toen was ze eigenlijk al verliefd op hem geworden...

'Nog steeds even geniaal!' zei haar vader waarderend, toen de clip afgelopen was. 'Mannen die vrouwenkleren aantrokken, dat was destijds in Engeland absoluut taboe. Maar Freddie Mercury ging er dwars tegen in. Ik kan me nog goed herinneren hoe aangeslagen we allemaal waren toen we hoorden dat hij overleden was. We wisten niet eens dat hij ziek was. Een dag voor zijn dood werd pas officieel bekend gemaakt dat hij aids had.'

Hij richtte zijn blik op Rubens profiel. 'Mooi pseudoniem, Free Spirit. Past wel bij een Queen-fan. Jongen of meisje?'

'Jongen,' mompelde ze en ze deed in stilte een schietgebedje of hij alsjeblieft niet door ging vragen. Tot haar opluchting schakelde hij over op een ander onderwerp.

'Weet je wie er daarstraks langs zijn geweest?'

'Geen idee.'

'Je vriendinnen. Anet en Jonne.'

Verrast hief ze haar hoofd. Ze had hun stemmen dus inderdaad goed herkend. 'Waarom heb je me dan niet geroepen?'

'Dat hoefde niet, zeiden ze. Ze kwamen speciaal voor mij.'

Ze veranderde ongemakkelijk van houding. Ze begon het al te begrijpen. Dit was duidelijk weer een voorbeeld van hoe Anet haar zin probeerde door te drijven. Haar geduld was nu blijkbaar op, ze wilde niet nog langer wachten om te weten waar ze aan toe was.

'Ze brachten stapels folders mee,' ging haar vader onschuldig verder, 'voor jullie vakantie.'

Een seconde zweeg hij, om Lindes reactie peilen. Maar ze zei niets.

'Ze wilden weten of je nou wel of niet met ze mee mocht. Iets wat mij een tikkeltje overviel, want je moeder en ik hebben nog niks over jouw vakantieplannen gehoord. Dus hoe zit dat nou eigenlijk?'

'Vergeten te vragen,' mompelde Linde en ze voelde hoe een hinderlijk rood vanuit haar nek omhoog begon te kruipen.

Haar vader zuchtte. 'Kijk, daar snap ik dus even niks van. Je vriendinnen komen met een leuk plan aanzetten en jij houdt er thuis je mond over? Terwijl we naar mijn idee toch heel redelijke ouders zijn. De enige conclusie die ik hieruit kan trekken is dat je diep in je hart eigenlijk geen zin hebt om met ze mee te gaan. Maar waarom zeg je dat dan niet gewoon eerlijk tegen ze?'

Haar kleur werd intenser.

'Ik ben het echt vergeten, papa,' zei ze zacht, 'ik kan er niks aan doen, maar ik heb op het ogenblik andere dingen aan mijn hoofd. Ik zit niet de hele tijd aan onze vakantie te denken.'

'Lieve Linde, wat mankeert jou? Het is toch fantastisch om met je beste vriendinnen op vakantie te gaan! Je zou juist uit je dak moeten gaan en over niets anders willen praten. Je komt tegenwoordig elke dag verschrikkelijk laat thuis, 's avonds zit je urenlang aan je huiswerk of je hangt achter de computer. We zien je bijna niet meer. Een beetje minder serieus bezig zijn mag ook wel, hoor!'

Haar vader ging er blijkbaar automatisch van uit dat het allemaal met school te maken had. Zou ze hem in die waan laten of nu over Ruben vertellen?

Ze aarzelde net iets te lang. De kans gleed vanzelf voorbij,

98

toen hij zijn stoel naar achteren schoof, opstond en liefkozend over haar haren streelde. 'Natuurlijk mag je van ons mee. We willen geen spelbreker zijn. Ik heb mama er al over gebeld en die vindt het ook goed. Er is alleen één voorwaarde aan verbonden...'

'En die is?'

'Dat je ook nog twee weken met ons meegaat. Voor Merel en eh... ook voor mama en mij. We vinden het gezellig om in de vakantie ons gezin compleet te hebben. Dat plezier moet je ons gunnen.'

Ze knikte.

Vlak voordat haar vader de studeerkamer verliet, zei hij terloops over zijn schouder: 'O ja, voor ik het vergeet: van Anet moest ik doorgeven dat ze vanavond naar The Grant gaan. Zonder tegenbericht komt Jonne rond halfelf langs om je op te pikken. Ze wisten niet zeker of je ook zin had of misschien al andere plannen had gemaakt. Het idee kwam spontaan bij hen op, dus vandaar.'

Toen liet hij Linde alleen. Verward staarde ze naar Rubens hyvesprofiel en wist niet welk gevoel nu overheerste: blijdschap dat ze hem eindelijk had kunnen toevoegen... of ergens toch ook een tikkeltje teleurstelling dat ze haar vader niet in vertrouwen had durven nemen?

15

Freespirit-blogspot.com
Onderwerp: The Grant
Plaats: Thuis
Tijd: 10 mei, 22.40 uur

*Zojuist heb ik haar eerste berichtje ontvangen. Terwijl ik net in een
zware pestbui was, omdat de marmotten van mijn kleine zusje weer
eens boven ontsnapt waren en mijn kamer onder de keutels lag. Ik
hoop dat ze ooit nog eens een schok krijgen als ze mijn elektriciteits-
snoeren doorknagen. Tot nu toe hebben ze helaas geluk gehad.*
*Ik vond haar manier van vragen aandoenlijk kinderlijk: 'Pas als
jij ook komt, wordt mijn avond helemaal goed.' Maar ze trok me er
wel mee over de streep. Ik heb besloten toch maar te gaan, hoewel er
altijd veel mensen van school komen aan wie ik geen boodschap heb.
Ik neem ook een risico, want die uitsmijters zullen me misschien van
die ene avond van een paar maanden geleden herkennen, toen ik met
mijn dronken kop heb gevochten. Een beetje stom van me, ik had ook
niet zoveel moeten drinken. Maar ik had toen net pa's vakantiefoto's
op zijn computer gevonden en wilde even nergens meer aan hoeven
denken.*
*Ik wil haar weer zien. Ze maakt iets in me los wat ik niet goed
onder woorden kan brengen. Het lijkt wel of ik verslaafd aan haar
begin te raken, ze is geen moment uit mijn gedachten. Ik zal proberen
er ook om elf uur te zijn. Ik weet alleen nog niet precies hoe ik haar
uit haar vriendinnenclan kan losweken zonder dat het al te zeer op-
valt. Dat bazige ding met die achterdochtige blik is de ergste van de*

drie. Die zal haar gegarandeerd uit mijn buurt proberen te houden.
Ik kan natuurlijk onopvallend op haar af lopen, met mijn hoofd een
knikje in de richting van de uitgang geven en dan naar buiten ver-
dwijnen. Die hint begrijpt ze vast wel. Please, wish me good luck.

Het was afgeladen vol in The Grant, toen Linde met Jonne
binnenkwam. Zoekend keken ze om zich heen, maar ze konden Floor en Anet niet direct in de mensenmassa ontdekken.
'Waar hebben we ergens afgesproken?' vroeg Linde. 'Bij de
bar of zo?'
'Niet speciaal. Blijf jij hier maar zolang wachten. Dan raken
we elkaar niet kwijt,' zei Jonne. 'Ik ga alvast wat te drinken
halen. Jij ook een biertje?'
Linde knikte. Terwijl ze toekeek hoe Jonne zich ellebogend
in de richting van de bar wurmde, vroeg ze zich af of Ruben
vanavond haar krabbel nog op tijd had kunnen lezen. Het zou
supergaaf zijn als hij ook kwam! Dan konden de meiden hem
vanzelf een beetje beter leren kennen en loste alles zich op.
Het duurde trouwens best lang voordat Jonne terug was. Die
bleef natuurlijk weer met iedereen die ze kende staan kletsen
en vergat dat zíj hier in haar eentje stond te wachten...
'Hoi, Linde!' hoorde ze opeens een jongen achter zich zeggen, terwijl er een hand op haar schouder gelegd werd.
Hoopvol draaide Linde zich om. Ruben? Nee. Ze voelde een
lichte steek van teleurstelling, toen ze Sander en Tahir herkende. 'Hoi.'
Ze had helemaal geen behoefte om hen hier tegen te komen,
maar gelukkig viel het hun niet op dat haar stem niet bijs-
ter enthousiast klonk.
'Je hebt nog niks te drinken, zie ik,' zei Sander. 'Wil je een
biertje?'
'Bedankt voor je aanbod,' zei ze snel. 'Maar Jonne haalt al
wat voor me.'

Toen wist ze even niets meer te zeggen. Tot haar opluchting voegde Jonne zich algauw bij hen, met twee glazen hoog in de lucht geheven.

'Alsjeblieft. De helft is er onderweg uit geklotst. Ik heb Anet al ontdekt, hoor. Die staat daar met een of andere jongen te praten die ik niet ken. Hij leek me niks. Ze komt dadelijk bij ons, heeft ze gezegd. Maar Floor kan ik nergens vinden. Proost. Jullie ook.'

Dit zei ze tegen Sander en Tahir. Maar die hadden geen glas bij zich.

Jonne nam een slok en bood Sander haar biertje aan. 'Eigenlijk wel asociaal van mij. Wil jij de rest?'

Hij dronk het glas in één teug leeg. 'Hè, bedankt, ik had dorst. Ik doe wel het volgende rondje.'

'Deal,' zei ze, terwijl ze hem tussen haar wimpers door aankeek, haar hoofd een beetje schuin, haar lippen half geopend. 'Op één voorwaarde: dat we dan weer uit hetzelfde glas drinken.'

Het lag er duimendik bovenop dat ze hem probeerde te versieren.

Sander haakte er gretig op in. Linde vond hem maar een sukkel, zoals hij even later in een recordtempo op zijn kosten het ene plateau biertjes na het andere liet komen. Dacht hij daarmee soms indruk op Jonne te maken?

Al na het tweede glas haakte Linde af en gaapte verstolen, terwijl ze de deuropening scherp in de gaten bleef houden. Wat was het hier saai! Waar bleef Ruben nou? Ze verveelde zich dood. Die twee deden niets anders dan elkaar slokjes bier voeren en diep in de ogen kijken. Ze gunde Jonne best de lol van een verovering, maar ze wilde niet in haar uppie met Tahir opgezadeld blijven. Die zou misschien op verkeerde ideeën kunnen komen.

Even later zag ze hoe Jonne haar arm om Sanders nek sloeg en hem begon te zoenen.

'Een mooi gezicht, zo'n spontane verliefdheid,' merkte Tahir droog op. 'Het bier is trouwens weer op, zie ik. Zal ik nog wat voor ons halen?'

'Niet voor mij,' zei Linde vlug. 'Ik ga denk ik eens kijken waar Floor en Anet blijven.'

Ze vond het slim bedacht van zichzelf om Tahir te lozen zonder hem openlijk te beledigen. Maar tot haar verbazing reageerde hij geprikkeld. 'Waarom wil je niks van me drinken en probeer je met een rotsmoes van me af te komen?'

Zijn agressieve uitval overrompelde Linde een beetje. 'Ik wilde je heus niet op stang jagen, hoor. Maar ik hoef echt even niets meer.'

'O ja? Ik krijg toch sterk het idee dat je me wilt dumpen. Wat heb ik dan verkeerd gedaan?'

Linde haalde haar schouders op. 'Je doet net alsof elk meisje dat naar de kroeg gaat erop uit is om een jongen te regelen en zich op zijn kosten vol te hijsen,' zei ze zo luchtig mogelijk.

'Dat is toch ook zo?' merkte Tahir kritisch op. 'Zie je dan niet hoe die twee daar bezig zijn? Volgens mij meent Jonne er geen barst van. Hoeveel biertjes heeft ze al op van Sander? Meer dan jij en ik bij elkaar. Dat noem ik nogal goedkoop slettengedrag.'

Linde wist niet goed wat ze hierop moest antwoorden. Ze herinnerde zich het eerste forwardmailtje dat de meiden en zij elkaar tijdens de computerles in de brugklas gestuurd hadden:

Meisjes zijn net als appels aan de bomen. De beste hangen hoog in de boomtoppen.

Jongens willen de beste niet plukken, omdat ze bang zijn om naar beneden te vallen en zichzelf pijn te doen. In plaats daarvan nemen ze gewoon de verrotte appels onderaan die niet lekker zijn, maar gemakkelijk te krijgen.

Dus de appels hoog aan de bomen denken dat er iets mis met ze is,
maar zij zijn eigenlijk fantastisch! Ze moeten alleen wachten op de
Ware, die moedig genoeg is om helemaal naar boven te klimmen.

Je bent hierbij gekozen tot een van de vijftien mooiste meiden in mijn
vriendenlijstje. Als je eenmaal bent gekozen, dan moet je dit bericht
doorsturen naar vijftien mooie meisjes. Als je nog een keer wordt ge-
kozen, dan weet je dat je echt mooi bent!

Ze hadden het mailtje op hetzelfde moment van elkaar ontvangen en daar kregen ze alle vier zo de slappe lach van dat
ze er toen ook alle vier tegelijk uit gezet werden. Jarenlang
had het mailtje in Lindes agenda's geplakt gezeten. Het bleek
zelfs een uitstekend pepmiddel te zijn om haar gevoel van
eigenwaarde een beetje op te krikken, als ze weer eens kans-
loos verliefd was geweest. Zoals vorig jaar. Grappig eigenlijk,
dat dit haar nu allemaal te binnen schoot.
Maar Tahir legde haar zwijgen anders uit. 'Nou kun je niks
meer terugzeggen, hè? Omdat je stiekem best weet dat ik
gelijk heb.'
'Wat Jonne doet moet ze zelf weten. Maar je hoeft heus niet
slecht over haar te oordelen omdat ze toevallig eens lekker
wil zoenen,' zei Linde geërgerd. 'Hetzelfde kun je trouwens
van Sander zeggen. Ik snap alleen jouw reactie niet. Waarom
voel je je zo snel aangevallen? Je bent gewoon niet mijn type.
Dat kan toch?'
Tahir keek haar verbaasd aan. 'Dan ben jij de enige. Alle
meiden vinden me knap, ik kan plenty vriendinnen krijgen.'
Linde kon er niets aan doen dat ze in de lach schoot, hij was
zo grappig overtuigd van zichzelf. 'Wil je misschien liever
een andere reden horen? Ik heb hier vanavond al met iemand
afgesproken. Met een jongen van school.'
Hij trok een ongelovig gezicht. 'Ik geloof er niks van. Je zegt

maar wat om van mij af te zijn. Waar is hij dan, hè? En hoe heet hij? Misschien ken ik hem wel.'

Maar Linde reageerde niet. Ze spitste haar oren. Daar gebeurde iets achter in de kroeg. Ze ving het geluid op van schreeuwende stemmen en er dromden ineens veel mensen samen. Het leek wel of er gevochten werd! Toen vlak daarna twee uitsmijters naar binnen stormden, begreep ze dat er echt iets aan de hand was.

Even later zag ze hoe een jongen aan zijn armen meegesleurd werd naar de uitgang. In de deuropening draaide hij zijn hoofd langzaam haar richting uit. Hun blikken kruisten elkaar...

'Ruben!'

Spontaan flapte Linde zijn naam eruit, terwijl een golf van blijdschap haar een fractie van een seconde overspoelde. Hij was dus toch gekomen! Toen voelde ze het bloed uit haar gezicht wegtrekken. Hier klopte iets niet. Waarom hielden de uitsmijters hem zo hardhandig vast, alsof ze op het punt stonden hem uit The Grant te gooien?

Ze wilde op hen af vliegen en met haar vuisten tegen hun borst timmeren en zeggen dat ze Ruben los moesten laten... in hun gezicht schreeuwen dat het vast niks bijzonders was geweest... Ze vergisten zich, hij was juist lief en gevoelig en aardig...

Maar Tahir pakte haar bij de arm en hield haar tegen.

'Ik wist niet dat jij zo'n slechte smaak had, Linde. Die jongen zat vroeger bij mijn broer in de klas en toevallig weet ik van Machmed dat hij niet spoort.'

Hij verstevigde zijn greep. 'Ik zou maar hier blijven als ik jou was. Hij is een zak stront. Ik kan zijn stank vanaf hier al ruiken. Als je hem nu achterna gaat, word je er ook meteen uit gezet. Soort zoekt soort, denken die uitsmijters automatisch.'

'Bemoei je er niet mee!' Haar stem schoot uit. 'Ik wil weten wat er gebeurd is. Laat me los, idioot!'

Ze probeerde zijn hand weg te duwen. Maar voordat ze zich had kunnen losrukken, stonden Floor en Anet voor haar neus en zeiden tegen Tahir dat hij Linde met rust moest laten en beter kon weggaan. Ze wilden iets met haar bespreken en daar hoefde hij niet bij te zijn.

Met een beledigd gezicht gehoorzaamde Tahir en verdween in de massa.

'Ik moet naar Ruben,' stamelde Linde, maar Anet ging demonstratief voor haar staan en keek haar ernstig aan. 'Nee, Linde. Je blijft hier bij ons. Ik wil je wat vertellen. Iets wat je niet leuk zult vinden.'

16

'Jij was er niet bij, maar ik wel,' bleef Anet koppig volhouden. 'Ik stond er met mijn neus bovenop. Ruben begon, echt waar. Die jongen wilde hem gewoon iets vertellen, iets grappigs of zo, en hij sloeg hem recht in zijn gezicht. Keihard op zijn neus. Toen gingen anderen zich ermee bemoeien en werd het een vechtpartij. Het was zijn eigen schuld dat hij eruit gegooid werd.'

Maar Linde wilde haar niet geloven. Er moest een reden geweest zijn waarom Ruben ontploft was. Die jongen had vast iets verkeerds gezegd en daardoor voelde hij zich natuurlijk aangevallen.

Anet gaat er bij voorbaat al van uit dat hij fout zit, dacht ze ongelukkig. Maar ik wil hem niet direct veroordelen. Ik moet eerst ook zijn versie horen.

Haar ogen schoten vol. Wat een rotavond! Terwijl ze juist zo naar Ruben uitgekeken had! En hij ook naar haar, anders was hij na haar berichtje niet hiernaartoe gekomen.

'Arme jij. Het hakt er wel in bij jou, hè, wat er gebeurd is,' zei Floor meelevend. 'Wil je liever naar huis? Zal ik met je meerijden? Dan kan Jonne nog wat langer hier blijven. Die heeft zo te zien nog geen zin om weg te gaan.'

Met de rug van haar hand veegde Linde haar tranen weg. Nee, dat hoefde niet. Ze bleef. Ruben was er toch niet meer en ze wilde geen spelbreker zijn.

'Wil je nog wat drinken? Zal ik iets voor je halen?'

'Ja, graag. Doe mij maar een baco.'

Die avond werd Linde voor het eerst in haar leven dronken. Bezorgd keken Anet en Floor toe hoe ze in een mum van tijd een paar baco's achterover sloeg om haar nare gevoel te laten verdwijnen. Niet dat het iets hielp, maar het smaakte in ieder geval lekker.

'Ik vind het allemaal heel verdrietig voor je,' probeerde Anet haar een beetje te troosten. 'Maar ga je nou alsjeblieft niet total loss drinken, Linde. Dat lost niets op en je verpest daar je eigen avond mee.'

Hoe Anet ook op haar inpraatte, Linde bleef hardnekkig doordrinken zonder zich iets van haar woorden aan te trekken. Algauw gaf Anet het op en mengde zich weer in de massa.

Maar Floor week geen moment van haar zijde. 'Morgen heb je er spijt van, hoor!' waarschuwde ze Linde een paar keer. 'Zou je nou langzamerhand niet met die baco's stoppen?'

'Boeien,' mompelde ze. 'Wat kan mij dat nou schelen? Laat me gewoon op mijn manier lol maken. Ik wil nu even nergens aan hoeven denken.'

De alcohol viel verkeerd. Aanvankelijk had Linde het zelf niet eens in de gaten. Ze moest overdreven hard om alles lachen, vooral toen ze merkte dat ze plotseling geen enkel woord meer normaal kon uitspreken: 'Hihihi, ksssslis... Mijn tong... issoo... raar...'

Toen sloeg haar stemming om. Volkomen onverwachts kreeg ze een huilbui, waarbij haar tranen opeens niet meer te stuiten waren. 'O, mijn sssssielige... tong. Kan ook niet meer... sssoenen. Hijssss... weg...'

'Dit zijn dronkemanstranen,' zei Floor streng. 'Kap ermee. Iedereen kijkt naar je.'

'Kben... mmmisssssselijk...' hikte Linde tussen twee grove snikken door. 'Kmoet... ooovergeven...'

Floor sleurde haar mee naar buiten en ondersteunde haar, terwijl Linde op straat haar maag leegde. Na afloop stond ze te trillen op haar benen. Ze probeerde een stap naar voren te doen, wankelde en moest zich snel aan Floor vastgrijpen om niet onderuit te gaan. Wat was ze duizelig!

Floor sloeg beschermend een arm om haar heen. 'Zullen we weer naar binnen gaan? Je krijgt het hier anders te koud.'

Linde knikte voorzichtig, terwijl ze een nieuwe golf van misselijkheid probeerde te onderdrukken.

'Je ziet er beroerd uit, meissie. Zou je niet liever naar huis gaan?' bromde een van de uitsmijters, toen hij de deur voor hen opendeed. 'Dat lijkt me beter voor je.'

Floor duwde Linde haar jack in de handen en beval haar in de garderobe op haar te wachten. 'Ik ga met de meiden overleggen hoe we je thuis kunnen krijgen, Linde. Ik durf je niet naar huis te laten fietsen. Je bent veel te dronken. Straks kom je nog onder een auto terecht.'

'Bedankt dat jullie me gewaarschuwd hebben,' zei Lindes vader kortaf tegen Floor, terwijl hij de veiligheidsriem om Linde heen gespte en het rechtervoorportier dichtgooide. Haar fiets lag in de achterbak.

Hij startte de motor, stak groetend zijn hand op en reed zwijgend weg. Zijn vingers hielden het stuur zo krachtig omklemd, dat zijn knokkels wit werden. Hij was duidelijk razend. Linde zat kleintjes naast hem. Floor had haar al gewaarschuwd dat hij niet erg blij had geklonken, toen ze hem wakker belde en de reden van haar telefoontje vertelde.

'Linde dronken? Zo dronken dat ze niet meer kan fietsen? Niet te geloven! Ik ga me nu snel aankleden. Binnen tien minuten ben ik bij je, om haar op te halen.'

Pas toen ze bijna thuis waren, verbrak hij de stilte.

'Je moeder en ik hadden het er vanavond over, hoe snel je volwassen aan het worden bent. Voor het eerst met je vriendinnen op vakantie! Maar met deze actie van jou begin ik te twijfelen of ik het nog wel een goed idee vind. Hoe kon je nou zo stom doen?'

Hij draaide zijn hoofd in haar richting. Toen hij haar in elkaar gedoken naast zich zag zitten, met rode ogen van de drank en vermoeidheid, de mascara door haar tranen tot zwarte vegen doorgelopen, zuchtte hij diep en stak zijn hand uit om een vluchtige aai over haar wang te geven.

'Ach, laat ook maar. Je ziet er vreselijk uit, meid. Duik straks snel je nest in en neem voor je gaat slapen een aspirientje. Dat helpt tegen een kater.'

Hij hielp Linde de trap op naar haar kamer. Terwijl ze zich met langzame bewegingen uit begon te kleden en haar bed in schoof, hoorde ze hem beneden rommelen. Even later kwam hij haar een emmer, een beker water en een aspirientje brengen. 'Hier. Drink op. De emmer is voor noodgevallen. Je boft maar met zulke zorgzame vriendinnen. Voor hetzelfde geld had de politie je meegenomen en hadden we je op het bureau kunnen ophalen. Met ook nog een boete aan je broek voor openbare dronkenschap.'

Hij wachtte tot ze het aspirientje doorgeslikt had. Toen boog hij zich voorover en gaf haar een zoen op het voorhoofd. 'Bah, wat ruik je zuur. Volgens mij heb je niet eens je tanden gepoetst. Welterusten. Morgen zien we wel weer verder.'

Daarna verliet hij haar kamer.

Terwijl Linde haar bedlampje uitknipte, bedacht ze dat ze niet alleen met haar vriendinnen geboft had. Haar vader was een lieverd. Zijn stem had gelukkig niet meer zo heel erg boos geklonken.

Die zondag stond Linde pas om één uur op. Ze voelde zich behoorlijk gammel en bleef beneden in haar ochtendjas rondhangen, tot Floors telefoontje haar rond halfdrie in actie

110

deed komen. Haar ouders en Merel waren twintig minuten geleden naar haar oma vertrokken, maar zij was alleen thuisgebleven.

'Ik ga niet mee, hoor. Ik heb geen behoefte om Merel haar nieuwe beha aan oma te zien showen,' had ze met haar duffe kop opgemerkt toen ze van hun plan hoorde. Ze bedoelde het heus niet verkeerd, maar haar zusje vatte haar woorden natuurlijk weer negatief op.

'De alcohol heeft zeker al een deel van je hersencellen vernietigd of je bent nog steeds hartstikke dronken,' zei Merel ijzig, waarna ze als een beledigde vorstin de kamer uit schreed.

Linde ging op de bank liggen. Ze was nog altijd een beetje misselijk en had koppijn alsof er in haar hoofd een wedstrijdje drilboren gehouden werd. Ze sloot haar ogen en doezelde weer een beetje in, tot ze tussen twee hoofdpijnsteken in de brievenbus hoorde klepperen. Slaperig kwam ze overeind en schoot haar sloffen aan.

Er lag een envelop op de voordeurmat, met haar naam erop geschreven in een schuin, onregelmatig handschrift. Verrast draaide ze hem om, maar er stond geen afzender op.

Met trillende vingers scheurde ze de envelop open, haalde er een geprint velletje papier uit en begon te lezen.

17

Sorry, Linde. Ik had je krabbel ongelezen moeten laten en gewoon thuis moeten blijven. Ik ga al weken niet meer naar The Grant. Maar je had het me zo lief gevraagd en dan kan ik geen nee zeggen. Ik kon je eerst niet vinden. Aan een van jouw vriendinnen vroeg ik waar je was. Ze stond te praten met iemand die ik niet kende, een jongen met een matje in zijn nek en een zwartleren jack aan. Ze vertikte het om normaal antwoord te geven. Gelukkig spotte ik je al in de verte en ik wilde me net omdraaien, toen die knul opeens mijn arm vastgreep en beweerde dat hij me ergens van herkende. Hij was behoorlijk dronken. Ik probeerde me los te rukken, maar zijn vingers klauwden zich vast aan mijn linkermouw. Wilde ik dan niet weten waarvan?

'Nee. Het interesseert me geen barst,' snauwde ik. 'Laat me los, idioot.' Hij had zeker stopverf in zijn oren, hij bleef maar aan me sjorren. Toen ging ik in de fout, Linde. Ik had hem lekker moeten laten doorzeiken, maar ik kan er nu eenmaal niet goed tegen als iemand me vasthoudt.

Ik waarschuwde hem voor de tweede keer dat hij me los moest laten. 'Ja, nou weet ik het weer: jij ging toen in je uppie met ons vechten,' lalde hij verder. 'Ha ha ha, wat een stomme actie, zeg! Alleen maar omdat we homo tegen je zeiden? Kon je niet tegen dat geintje? Ha ha ha, drie tegen één, dat verlies je toch altijd.'

Zijn irritante hinniklachje vlak bij mijn oren, dat was de druppel. Er verscheen een rood waas voor mijn ogen en ik plantte mijn vuist midden op zijn neus. Die gast ging meteen plat. Twee andere jongens, zijn vrienden blijkbaar, sprongen hem te hulp en daarna ge-

beurde alles heel snel. Er stormden twee uitsmijters op me af, die
mijn armen hardhandig naar achteren trokken en me met geweld
naar buiten sleurden. Ik kon geen kant meer op.
Vlak bij de deur ving ik je blik op en hoorde ik je nog mijn naam
roepen. Toen gooide een van die spierbundels me de straat op.
Ik voel me nou klote. De herinneringen gieren als een rollercoaster
door mijn hoofd en het gaat maar niet over. Het spijt me, Linde. Het
spijt me verschrikkelijk. Je zult me wel een loser vinden dat ik ra-
zend word als ze me voor homo uitschelden. Dat komt door vroeger.
Ze hebben me toen in de tweede een keer met zijn drieën vastgehou-
den en mijn broek naar beneden proberen te trekken. Omdat ik dat
wel lekker zou vinden, vuile homo die ik was. Ik heb daar soms nog
nachtmerries van. Rare idioot ben ik, hè? Vertel het alsjeblieft niet
verder. Ik vertrouw erop dat dit tussen ons blijft. Ik hoop niet dat
jouw vriendinnen je nu gaan pushen om het uit te maken. Ik wil je
niet kwijt. Nogmaals sorry. Kan ik maandagmiddag om halfvier
een tweede strippenkaart van je krijgen? Deze is nu vast al vol.

xxx
R.

Langzaam liet Linde de brief zakken. Arme Ruben, dacht ze
vol medelijden. Ze vond het flauw van Anet dat die zo bot
had gedaan tegen Ruben. Ze kreeg bijna de neiging om haar
daarover op te bellen. Dan kon ze Anet meteen vertellen dat
Rubens versie van het verhaal heel anders was. Maar op hetzelfde moment realiseerde ze zich dat Anet zich waarschijnlijk beledigd zou voelen. 'Wat heb ik dan verkeerd gedaan?
Ik stond alleen maar toe te kijken. En hij begon echt. Ik lieg
heus niet.'
Uit de brief bleek inderdaad dat Ruben begonnen was. Toch
liet hij ook duidelijk doorschemeren dat hij zijn best gedaan
had om deze situatie te voorkomen.

113

Liggend op de bank herlas Linde de brief talloze malen, toen haar mobiel ging en ze op de display Floors naam zag staan. Ze nam op.

'Hoi! Hoe is-ie?'

'Goed, hoor,' hoorde ze Floors stem opgewekt aan de andere kant zeggen. 'Ik was eigenlijk benieuwd naar je kater. Daar belde ik voor. Heb je je nieuwe huisdier al een beetje onder controle?'

'Ik loop nog in pyjama. Ik heb nog geen puf gehad me aan te kleden.'

'Je klinkt in ieder geval wel uitgerust. Hoe was je vaders humeur vandaag? Mag je nog steeds met ons mee op vakantie?'

Linde zei dat ze zich geen zorgen hoefde te maken. De bui was duidelijk overgewaaid. 'Hij is niet boos meer en mijn moeder heeft verder ook geen commentaar geleverd. Nog bedankt voor gisteravond. Lief, zoals je toen voor me zorgde.'

'Ach joh, kleine moeite,' reageerde Floor luchtig. 'Als ik een keer dronken word, reken ik ook op jouw hulp. Heb je trouwens nog iets van Ruben gehoord?'

'Ik heb een brief van hem gekregen. Met allemaal excuses, dat het niet zo bedoeld was.'

'O? Lees hem eens voor.'

'Nee, liever niet. Hij is nogal persoonlijk.'

Tot Lindes opluchting ging Floor hier niet verder op in en informeerde vervolgens of ze er al achter gekomen was waarom Ruben gisteren plotseling was gaan vechten. 'Kom op, Linde! Dat kun je toch zeker wel vertellen?'

Aarzelend stak ze van wal.

'Alleen maar omdat die jongen hem aan die vechtpartij wilde herinneren?' herhaalde Floor even later ongelovig. 'Waarom ligt dat zo gevoelig bij hem? De meeste jongens schelden elkaar wel eens voor homo uit. Gewoon voor de grap, ze bedoelen daar niets mee. Snap jij er iets van?'

'Ik zou het niet weten,' loog Linde.

'Hoe wist hij gisteren trouwens dat jij in The Grant zat?'

'Dat had ik hem verteld.'

'Terwijl je met ons had afgesproken?'

'Wat maakt dat nou uit?' verdedigde Linde zich. 'De halve school gaat naar deze kroeg. Wat zou je er dan voor last van hebben als ik hem zou meevragen? Er komen genoeg andere mensen.'

Voordat Floor had kunnen zeggen dat ze dit een zwak argument vond, voegde Linde er snel aan toe: 'Het leek me gewoon leuk als hij er ook zou zijn. Dan konden jullie hem ook eens wat beter leren kennen.'

'Hmm. Maar weet je wat ik nou zo raar vind? Hij had voor jullie eerste date toch bij Blow-Out afgesproken?'

Linde hield haar mobiel steviger vast.

'Ja, dat klopt. Wat wil je daarmee zeggen?'

'Sinds het aan is tussen jullie, valt het me steeds meer op dat Ruben in de pauzes nooit echt met iemand optrekt,' hoorde ze Floors stem voorzichtig aan de andere kant van de lijn opmerken. 'Waarschijnlijk koos hij expres voor een kroeg waar hij niet veel mensen van school hoeft tegen te komen. Dat doet hij vast met een bepaalde reden. Ik dacht vroeger dat hij arrogant was en op iedereen neerkeek. Maar misschien heb ik me vergist en zit hij anders in elkaar.'

Linde zweeg verbluft.

'Hallo! Ben je er nog?'

'Ja, ik ben er nog,' mompelde ze. 'Ik zit even na te denken. Misschien heb je daar wel gelijk in. Ik weet het allemaal ook niet meer. Ik ga nu maar eerst eens in bad. Ik zie je morgen wel weer.'

18

Nadat Floor had opgehangen, slaakte Linde een diepe zucht. Ze voelde zich een beetje schuldig. Alleen maar omdat ik Ruben zo graag wilde zien, is hij naar The Grant gekomen, dacht ze. Hij heeft dat voor mij gedaan, terwijl het niet eens zijn favoriete kroeg is. In zijn brief schreef hij dat hij er al weken niet meer geweest was.

Ze probeerde zich voor te stellen hoe Ruben nu thuis op haar reactie zat te wachten en zich misschien zorgen maakte. Ik moet naar hem toe, flitste het door haar heen. Ik moet hem geruststellen dat er tussen ons niks veranderd is. Dat ik nog steeds dol op hem ben en hem heus niet zomaar laat barsten. Haar kater was op slag verdwenen. Ze vloog naar boven om zich aan te kleden.

Het huis lag in een rustige buurt en had een betegelde voortuin. Aan de straatzijde hing vitrage voor de ramen. Linde kon daardoor niet goed zien of er iemand thuis was. Toen ze aanbelde, ving ze achter de voordeur het geluid van rennende voetstappen op, maar er werd niet opengedaan.

Ze drukte nog een keer op de bel. Na een halve minuut verscheen er een klein, tenger meisje met blond haar in de deuropening, dat haar met dezelfde grijsbruine ogen als Ruben ernstig aankeek. Ze had rode ogen, alsof ze gehuild had. In haar armen droeg ze een spartelende marmot.

Dit moet Rubens zusje zijn, dacht Linde. Maar is ze echt al negen? Ze lijkt veel jonger.

Voordat ze iets kon zeggen, merkte het meisje met een benauwd gezicht op: 'Ik ga de deur weer dichtdoen, hoor! Ik kan hem niet goed meer vasthouden. Hij doet me hartstikke pijn. Hij heeft heel scherpe nagels.'

Vlug stapte Linde over de drempel. Nauwelijks was de voordeur achter haar in het slot gevallen, of het meisje ging op haar hurken zitten en liet de marmot in de gang los. Het beestje rende er op zijn korte pootjes verbluffend snel vandoor en verschool zich onder de trap.

Ze kwam overeind, stroopte haar mouw op en bestudeerde haar blote onderarm. Toen toonde ze Linde een paar kleine rode krasjes op haar huid. 'Zie je wel? Hij heeft me weer gekrabd.' Ze sperde haar ogen wijd open alsof ze zich opeens iets realiseerde. 'O! Helemaal vergeten! Ik had je van mama eigenlijk niet zomaar binnen mogen laten. Wat stom van me! Gelukkig zie je er niet gevaarlijk uit. Hoe heet jij? Ik ben Eva.'

'Linde. Is Ruben misschien thuis?'

Eva reageerde niet en bukte zich om onder de trap te kijken. 'Kom dan! Kom eens bij het vrouwtje!' vleide ze met een zacht stemmetje.

Toen de marmot tevoorschijn glipte en op haar af waggelde, tilde ze hem op en liet hem aan Linde zien. 'Kijk, dit is Freddie, de grote kapotknager. Hij probeert altijd uit zijn kooi te ontsnappen en dan verstopt hij zich in Rubens kamer. Die wordt dan boos op hem. Wil je Freddie even aaien? Hij doet niks, hoor.'

Eva duwde het dier onder haar neus en gehoorzaam streelde Linde zijn vacht, hoewel ze inwendig een beetje griezelde. Ze had nog nooit een marmot geaaid. Zijn haren voelden stug aan. 'Ik weet ook hoe jouw andere marmot heet: Sushi,' zei ze in een opwelling. 'Ik heb hun foto op jouw hyves zien staan. Weet je nog wel, toen ik je een krabbel stuurde die eigenlijk voor Ruben bestemd was?'

Eva knikte.

'Mooie namen, hoor!' probeerde Linde het gesprek een beetje verder op gang te krijgen. 'Heb je die zelf bedacht?'

Eva trok een geheimzinnig gezicht. 'Nee. Dat heeft Ruben gedaan. Ik kreeg Freddie en Sushi van hem voor mijn verjaardag. Maar ik mag niet verklappen waarom ze zo heten. Dat moet iets tussen ons tweeën blijven. Anders werkt het niet. Hij noemt het eh...'

Ze viel stil en moest even nadenken voordat ze triomfantelijk zei: 'Nou weet ik het weer: het is ons Special Super Secret. Een soort lange sss, zo kan ik het beter onthouden.'

'Is Ruben thuis?' herhaalde Linde haar vraag.

Het kind schudde langzaam haar hoofd. 'Hij is met mama weg. Ze gingen even een brief posten en een eindje wandelen om af te koelen. Dat zei hij. Ik mocht niet mee van ze. Ruben heeft een blauw oog. Dat weet je vast nog niet, hè? Papa en hij kregen vanmorgen ruzie en toen gaf papa hem een klap in zijn gezicht, midden op zijn oog, en toen gingen ze weer ve...'

Ze stopte met haar verhaal en er verscheen een zorgelijke blik in haar ogen. 'O! Daar mag ik niet over praten en nu verraad ik het toch bijna. Beloof je me dat je het niet door zult vertellen? Aan niemand? Ook niet aan Ruben?'

Toen Linde het beloofd had, wilde Eva weten wat Linde eigenlijk kwam doen.

'Ik moet iets belangrijks bespreken met Ruben.'

Eva rimpelde haar voorhoofd. 'Dat lukt vast niet meer. Als Ruben straks terugkomt, sluit hij zich boven op en gaat muziek luisteren, met de deur op slot. Dat doet hij altijd als hij een rotbui heeft. Wil je Sushi ook zien?'

Ze wachtte Lindes antwoord niet af en liep de trap op. Linde volgde haar gehoorzaam.

'De deur met die ijsbeer erop, doe die maar open. Dat is mijn kamer. Die van Ruben is ernaast. Ik moet nu snel Freddie vangen. Als ze straks thuiskomen en de gang ligt vol keutels, krijg ik op mijn kop.'

Rubens deur stond open. Ik ben benieuwd hoe hij zijn kamer heeft ingericht, dacht Linde. Terwijl Eva terug naar beneden rende, liep ze naar de deuropening, bleef aarzelend op de drempel staan en wierp nieuwsgierig een blik naar binnen. Hmmm. Haar kamer thuis zag er stukken gezelliger uit. Hier heerste duidelijk de ultieme leegte. Bij het raam stond een groot wit bureau met een computer en een zwarte bureaustoel op zwenkwieltjes ervoor. In de hoek daarnaast stonden een klerenkast en een stereotoren. Zijn bed was tegen de rechterwand geschoven. Aan de muur bij zijn hoofdeinde hing een groot kleurig wanddoek met een afbeelding van Freddie Mercury met een microfoon in de hand, zijn ogen halfgesloten. Dit was vast en zeker het bewuste doek van zijn spreekbeurt. Voor de rest lag er niks: geen kleren, schoolboeken, proefwerkpapieren, pennen, schoenen, paperclips of iets anders wat erop zou kunnen wijzen dat er in deze kamer echt geleefd werd. Het geheel maakte een onpersoonlijke en bijna steriele indruk.

Linde ging voorzichtig op de rand van zijn bed zitten en stelde zich voor hoe zij hier naast Ruben zou liggen, lekker dicht tegen hem aan gekropen. Misschien gingen ze dan wel verder met vrijen... Een verwarrende en ook spannende gedachte.

Ze hoorde Eva beneden triomfantelijk 'hebbes' uitroepen en even later naar boven stommelen.

'Waar ben je nou, Linde? Ik zie je nergens. Zit je per ongeluk in Rubens kamer? Mijn kamer is hiernaast, hoor!'

Linde stond langzaam op en streek het dekbed weer glad. Ze grabbelde in haar jack naar haar lippenstift, werkte provisorisch haar lippen bij en zocht naar een stukje papier om een lippenstiftzoen voor Ruben achter te laten. Eva vertelt hem later vast wel dat ik langs geweest ben, dacht ze. Als hij dan vanavond mijn zoen op zijn hoofdkussen vindt, begrijpt hij dat er wat mij betreft niks aan de hand is.

Ja, dat was een superromantisch idee!

Maar de prullenbak bleek leeg te zijn.

'Kom je nog?' riep Eva. 'Ik doe Freddie nu terug in zijn hok. Wil je Sushi nog zien?'

'Jaha!'

In een opwelling trok Linde de bovenste bureaula open om te zien of daar misschien iets lag wat ze ervoor kon gebruiken. Toen hield ze haar adem in. Boven op een stapel papieren lag een foto van iemand die ze kende...

Met trillende vingers pakte ze hem tevoorschijn. Wat deed een foto van Mijnsma in Rubens bureaula? Hij was duidelijk gemaakt door iemand die de lerares persoonlijk kende. Ze lachte ontspannen in de camera. En ze droeg...

Linde knipperde een paar keer met haar ogen, want ze kon bijna niet geloven dat ze het goed zag: Mijnsma droeg alleen een felroze bikini...

Besluiteloos bleef Linde met de foto in haar handen staan. Hoe kwam Ruben hieraan? Waarom bewaarde hij een vakantiefoto van Mijnsma in zijn la, terwijl hij beweerde haar zo verschrikkelijk te haten? Verward vroeg ze zich een fractie van een seconde af of ze hem naar de reden moest vragen. Maar op hetzelfde moment verwierp ze dit plan. O nee, dan zou hij denken dat ze stiekem in zijn spullen gesnuffeld had en misschien wel heel boos worden. Ze wist nu uit ervaring hoe opgefokt hij kon reageren als er iets gebeurde wat hem niet beviel.

'Linde? Waar blijf je nou?'

Vlug stopte ze de foto terug in de la en schoof die zo geruisloos mogelijk weer dicht. Weg met dat ding!

'Ik kom!' riep ze met een vreemd hoge stem.

19

Freespirit-blogspot.com
Onderwerp: Shitzooi, deel twee
Plaats: Thuis
Tijd: 11 mei, 17.15 uur

Wat een waardeloos weekend is dit geworden. Vannacht heb ik haar
een brief geschreven. Ik was voor mijn doen heel open, mijn woorden
rolden er vanzelf uit. Het luchtte een beetje op en ik ging pas om drie
uur slapen.

Vanmorgen lag ik nog diep in coma, toen pa om halfelf mijn kamer
binnen stormde en me wakker schudde. Een van zijn collega's van
het bureau had gebeld: er is bij de politie een aanklacht tegen me in-
gediend. Door die jongen in dat leren jack. Blijkbaar heb ik gisteravond zijn neus gebroken. Pa ging helemaal over de rooie. Hij vond
het een schande wat ik gedaan had en wilde weten waarom ik was
gaan vechten.

Mijn antwoord: 'Uit verdediging, pa. Die jongen kon zijn handen
niet thuishouden en toen sloeg ik hem van me af. Dat was jouw advies, weet je nog wel? Daarom ben ik vroeger op karate gegaan.'

Maar hij luisterde niet en denderde opgefokt verder dat ik een rot-
zooitrapper was. Ik zorgde altijd voor problemen.

'Dan lijk ik toch meer op jou dan ik dacht,' antwoordde ik koel en
ik probeerde hem verder te negeren door me om te draaien. Maar hij
greep me bij de arm beet en vroeg wat ik daarmee bedoelde.

Ja, toen ging het weer mis. Er knapte iets in me. Ik schreeuwde dat
hij me met rust moest laten. Dat hij wat mij betreft in de stront

121

mocht zakken! Waarop pa meteen begon te slaan en ik hem natuur-
lijk een klap terug verkocht. Het bekende eindresultaat: we gingen
weer vechten. Ma raakte over haar toeren, mijn kleine zusje gilde als
een gek en pa scheurde even later met zijn auto weg. Volgens ma ging
hij rechtstreeks naar het bureau, vanwege die aanklacht. Maar het
is nu uren later en hij is nog steeds niet terug. Waarschijnlijk zit
hij bij haar en broeden ze met zijn tweeën een plan uit hoe ze
haar/zijn/ons/mijn probleem verder zullen gaan aanpakken.
Ik weet niet meer wat ik nu moet doen. Het verleden blijft zich met
zuignappen aan me vasthechten. Hoe kan ik morgen naar school
gaan en daar met mijn blauwe oog rondlopen of er niets aan de hand
is? Mijn gezicht ziet eruit alsof ik de hoofdrol in een horrorfilm heb
gekregen.
Life sucks.

Het zat Linde behoorlijk dwars dat ze aan niemand kon vertellen wat ze in Rubens kamer had gevonden. Zelfs niet aan
haar vriendinnen, hoewel ze dat nog een ogenblik had over-
wogen. Maar ze had op dit moment geen behoefte aan hun
kritiek. Ze vond het zelf ook heel raar dat hij een foto van
Mijnsma in bikini bewaarde. Ze had er 's nachts slecht van
geslapen en was die maandag niet erg spraakzaam. Gelukkig
onthielden de meiden zich van elk commentaar, alsof ze aan-
voelden dat ze niet meer over zaterdagavond door moesten
zeuren. Tijdens de lessen greep Jonne een paar keer haar
hand voor een geruststellend kneepje. Haar kleine blijk van
medeleven deed Linde goed.
Voor de rest sukkelde de schooldag over dezelfde rails als altijd
naar het laatste lesuur toe. Maar Lindes zenuwen stonden op
scherp. Ze verlangde er verschrikkelijk naar om Ruben vanmiddag weer te zien, hoewel ze er ook een beetje tegen opzag.
Ze had hem zondagavond een berichtje gestuurd om hem te
laten weten dat hij zich geen zorgen hoefde te maken, ze was

nog steeds dol op hem. Maar daar had hij niet op gereageerd. Wat moest ze nou straks tegen hem zeggen? 'O ja, heb je nog gehoord van je zusje dat ik gisteren bij je langs geweest ben?' Of moest ze hem eerst bedanken voor zijn brief en alles daarna afdoen met een nonchalant: 'Ach, joh, natuurlijk wil ik helemaal niet met jou kappen! Hoe kom je daarbij?' Om vervolgens over haar bezoek te zwijgen, tot hij er misschien zelf over zou beginnen?

Maar telkens als ze besloten had voor deze laatste optie te kiezen, verscheen weer die foto op haar netvlies en sloeg de onzekerheid in alle hevigheid toe. Haar oma had daarin wel gelijk gehad: het was eigenlijk heel eigenaardig dat Ruben al die jaren zo'n intense hekel aan Mijnsma was blijven houden. Nerveus stond Linde klokslag halfvier bij V&D op dezelfde plek als altijd op Ruben te wachten. Maar hij was er niet. Na tien minuten gaf ze bijna de moed op, toen hij met een verhit gezicht aan kwam racen en hijgend van zijn fiets sprong. Zijn blauwe oog viel duidelijk op.

'Sorry dat ik zo laat ben,' zei hij buiten adem. 'Mijnsma hield me opeens aan de praat. Ze wilde weten wat er dit weekend precies gebeurd was. Dat mens is echt gek! Ze denkt zeker dat ik plotseling behoefte aan haar belangstelling heb! Het gaat haar helemaal niks aan wat ik doe.'

Hij trok haar in zijn armen en ze liet zich weer heerlijk in zijn zoenen onderdompelen en vergat ter plekke al haar voornemens. Met de armen om elkaar heen geslagen liepen ze even later door naar hun bankje in het park bij de singel en ploften neer.

Toen viel Ruben stil. Linde stond op het punt om naar zijn oog te informeren, toen hij, bijna alsof hij haar gedachten kon lezen, opeens zei: 'Iedereen keek me na op school. Gelukkig hielden ze hun commentaar voor zich. Want dat had ik even niet getrokken.'

Voorzichtig pakte Linde Ruben bij de kin en draaide zijn gezicht naar zich toe om zijn blauwe oog aan een nadere inspectie te onderwerpen. Zijn ooglid zag er van dichtbij pijnlijk gezwollen uit, hij kon alleen nog maar door een klein spleetje kijken. Met haar vinger streelde ze voorzichtig over de bloeduitstorting onder zijn linkeroog, waar een kleurenpalet zichtbaar was van zwarte, blauwe en groene vlekken.

'Doet het erg pijn?' vroeg ze.

'Dat valt wel mee. Ik heb die jongen veel erger toegetakeld. Hij is gisteren naar de politie gegaan en beschuldigt me nu van zware mishandeling.'

Toen zweeg hij weer en staarde strak voor zich uit.

Waarom probeerde hij haar nou in de waan te laten dat hij zaterdagavond dat blauwe oog had opgelopen? Mocht ze het soms niet weten, van die vechtpartij met zijn vader?

'Ik ben zondag bij je langs geweest,' flapte Linde eruit. 'Na je brief. Maar je was er niet.'

'Klopt. Ik hoorde al zoiets van Eva. Maar ik was met mijn moeder aan de wandel. We moesten er samen even uit. Jammer dat je al weg was toen we thuiskwamen. Dan had je haar ook eens kunnen ontmoeten. Dat had ik achteraf misschien toch wel leuk gevonden.'

Zijn toon klonk beslist anders, vond ze. Niet zo vol zelfvertrouwen als ze van hem gewend was. Nee, eerder gereserveerd. Misschien vond hij het niet prettig dat ze over gisteren was begonnen.

'Ik heb gezellig met je zusje gekletst,' ging ze koppig verder. 'Ze scheelt best veel met jou. Jij bent echt haar grote broer.'

Ruben glimlachte vaag, alsof hij er met zijn gedachten niet helemaal bij was.

'Ja, dat ben ik zeker. Heb je haar marmotten ook moeten zien? Eva sleept altijd iedereen mee naar haar kamer om ze te aaien.'

Linde knikte. 'Ze zei dat jij hun namen had verzonnen. Ik

124

snap wel hoe je aan Freddie bent gekomen. "I want to break free" past goed bij hem. Maar ze wilde me niet vertellen waarom je dat andere beest Sushi genoemd hebt. Dat was jullie Special Super Secret.'

'Dan begint ze het eindelijk door te krijgen. Mijn zusje kletst veel te veel. Ik ben haar aan het leren dat je sommige dingen beter voor je kunt houden.'

'Zoals?'

Toen Ruben geen antwoord gaf, kroop Linde nog dichter tegen hem aan, sloeg haar arm om zijn nek en begon hem weer te zoenen. Op zijn wang, zijn voorhoofd en ten slotte heel voorzichtig op zijn blauwe oog.

Oké, dan zou ze hem maar eens een beetje op weg helpen.

'Ik ben ook stiekem in jouw kamer geweest,' fluisterde ze in zijn oor. 'Ik heb op de rand van je bed gezeten en aan je gedacht. Ik stelde me voor hoe we daar in elkaars armen zouden liggen en toen wou ik toch zo graag dat je bij me was. Ik miste je heel erg.'

Ze voelde zijn lichaam verstrakken. 'Jij was in mijn kamer? Geen goed idee, dat had Eva nooit mogen toelaten. Ze weet dat ik dat niet prettig vind.'

Linde streelde zijn vingers. Lang waren ze, met korte nagels. Hij had al echt grote mannenhanden.

'Waarom? Wat maakt dat nou uit?' zei ze met een lief lachje. 'Ik wil jou ook graag eens mijn kamer laten zien. Bij mij is het alleen altijd een rotzooi. Ik ben niet zo netjes als jij.'

Maar Ruben fronste zijn wenkbrauwen. Zijn stemming leek opeens veranderd.

'Ze had dat nooit mogen toelaten,' herhaalde hij mat. 'Waarom denk je dat er zo weinig spullen in mijn kamer staan? Ik wil nergens meer aan herinnerd worden. Herinneringen moet je zo snel mogelijk overboord kieperen. Anders halen ze je energie weg en ga je eraan kapot.'

125

Maar die foto van Mijnsma in bikini heb je niet willen weggooien, wilde Linde opmerken. Hoe kom je eigenlijk aan die foto? Je moet hem vast ergens hebben opgeduikeld, ik kan me niet voorstellen dat je hem zelf hebt gemaakt of van haar gekregen hebt.

Maar ze durfde het niet te vragen. Zijn stuurse houding leek bijna een muur tussen hen te vormen waar ze niet overheen kon kijken. Ze slikte haar woorden in en zei zo neutraal mogelijk: 'Ik zag boven je bed een wanddoek hangen met Freddie Mercury. Dat is vast en zeker het ding van je spreekbeurt geweest, hè?'

Hij stootte een kort lachje uit. 'Slim opgemerkt van jou! Een tien voor je geheugen.'

Uit de struiken achter hun bankje dook een eend tevoorschijn, die snaterend in de richting van de singel waggelde. Ruben wachtte tot het beest in het water was geplonsd en vervolgde: 'Telkens als ik naar Freddie kijk, zeg ik tegen mezelf dat ik door moet gaan met mijn leven. Hij wist al heel lang dat hij aids had, maar hij hield het bijna tot het eind voor zich. Hij nam zelfs vlak voor zijn dood nog een clip op, alsof het hem niet boeide dat hij doodziek was. Muziek bleef alles voor hem, tot het laatste moment. Daar heb ik bewondering voor.'

Hij staarde naar de punt van zijn linkersportschoen. 'Ik weet ook met mijn verstand dat ik de stekker uit mijn verleden moet halen en me nergens meer wat van moet aantrekken. Maar ik kan het niet. Het lukt me niet. Stom, maar waar.'

De eend kwam luid kwakend uit het water tevoorschijn, fladderde met zijn vleugels en dook weer onder.

'Het huwelijk van mijn ouders gaat langzaamaan kapot en daar word ik steeds beroerder van. Weird, hè?'

Linde kon zich dat best voorstellen. Het leek haar ook vreselijk als haar ouders uit elkaar zouden gaan. Dat vertelde ze hem, maar Ruben wuifde haar woorden weg. 'Het woord

scheiding is nog niet gevallen. De sfeer is alleen totaal verziekt. Mijn vader zat gisteren de hele dag op het bureau.
Althans, dat zegt hij. Maar ik weet bijna zeker dat hij al die
tijd bij zijn vriendin is geweest.' Met een zucht voegde hij
eraan toe: 'Hij kwam superlaat thuis, raakte om niks geïrriteerd en ging buiten staan bellen zodat wij het niet konden
horen. Daarna kregen mijn moeder en hij weer de zoveelste
ruzie omdat hij te hard werkt en zo en vrijwel nooit thuis is.'
'Hij heeft een vriendin?' echode Linde verbaasd.
Ruben knikte. 'Ik ben de enige die het weet. En jij dan nu
ook.'
'Hoe ben je er dan achter gekomen?'
Er gleed heel even een vreemde grimas over zijn gezicht,
alsof hij met moeite zijn emoties probeerde te onderdrukken.
Zijn stem klonk gesmoord toen hij zei: 'Bij eh... toeval. Ik
fietste een keer ergens naartoe en zag toen zijn auto voor een
huis geparkeerd staan, terwijl hij vlak ervoor tegen mijn
moeder gezegd had dat hij naar het bureau was geroepen. Ik
was nieuwsgierig waarom mijn vaders auto daar stond en
gluurde naar binnen. Toen zag ik dat hij met haar aan het
zoenen was. Zo heb ik het ontdekt.'
Lindes hoofd barstte van de vragen. Kende hij die vrouw dan?
Waarom reed hij daar in die straat? Ze wilde net lief opmerken hoe erg ze het voor hem vond, toen hij triest zijn hoofd
schudde. 'Zeg nou maar niks meer. Ik blijf stiekem hopen dat
hij op een dag genoeg van dat mens krijgt en het uitmaakt.
Ik hoop dat ze dan diepongelukkig wordt en in een zware
depressie terechtkomt. Dat zou haar verdiende loon zijn.'
Hij liet haar beloven dat ze het aan niemand zou doorvertel-
len. Dat deed ze. Daarna kwam Ruben er niet meer op terug.

20

Nu Lindes ouders officieel hun toestemming hadden gegeven, greep Anet elke minuut op school aan om de vakantie ter sprake te brengen.

'De tijd gaat dringen,' gaf ze als verklaring, toen ze hun routeplanning voor de zoveelste keer aankaartte. 'De leukste campings moet je echt vooruit boeken. Anders krijg je geen mooie plek toegewezen.'

Blijkbaar wil Anet alles tot in de puntjes geregeld hebben, dacht Linde. Nou, van mij mag ze. Het is haar eigen plan geweest. Maar ook Floor en Jonne accepteerden zonder meer dat Anet zich definitief opwierp als de grote reisorganisator.

Die dinsdagmiddag had ze in de grote pauze met veel moeite een tafeltje voor hun vieren in de aula weten te bemachtigen. 'Ik heb gisteren nieuwe reisfolders gehaald,' zei Anet. Ze diepte een stapeltje uit haar rugtas en legde dat net op tafel, toen Tahir ineens achter haar opdook en bij hun groepje aanschoof.

Er lag een chagrijnige trek om zijn mond. Hij trok een folder naar zich toe en begon er zwijgend in te bladeren. Niemand zei iets.

Floor was de eerste die genoeg kreeg van het stommetje spelen. 'Je stoort ons, Tahir. Wij zaten hier eerder,' zei ze vriendelijk. 'Zou je alsjeblieft willen vertrekken? We willen toevallig dingen bespreken die jou niks aangaan.'

Tahir gooide met een verveeld gebaar de folder terug op het stapeltje. 'Ik heb net zo veel recht om hier te zitten als jullie. Maar ik wilde iets tegen Linde zeggen. Dat van zaterdag zit me niet lekker.'

Hij wendde zich tot haar. 'Gisteren heb ik bij mijn broer naar die zogenaamde date van jou geïnformeerd en hij heeft me toen iets verteld wat je waarschijnlijk niet weet.'

Linde haalde haar schouders op. 'Dus? Moet ik nu opeens nieuwsgierig worden?'

'Hij is homo.'

'Wie? Je broer?'

Floor en Jonne schoten allebei tegelijk in de lach en ook Anet onderdrukte een grijns. Machmed stond bekend als een nog grotere player dan zijn jongere broertje. Maar Tahir reageerde geïrriteerd. 'Nee, natuurlijk niet! Ik bedoel jouw mister Shit, die zaterdagavond uit The Grant gegooid werd. Mijn broer zegt dat hij homo is.'

Linde kleurde van boosheid. 'Hebben jullie thuis niets beters om over te praten? Hoe kom je aan deze onzin? Ik geloof er helemaal niets van.'

Ze voelde heel even Jonnes hand een bemoedigend klopje op haar knie geven en Floor schoof wat dichter naar haar toe.

'Toevallig weet mijn broer het heel zeker,' hield Tahir vol. 'Machmed zat bij hem in de tweede. De hele klas vond hem toen een homo: als je maar met één vinger in zijn richting wees, ging hij al huilen. Echt zo'n trieste uitslover, hij droeg zelfs een vlindermes bij zich om te bewijzen dat hij heus geen watje was. Maar daar trapte niemand in.'

Linde was even sprakeloos. Tahir loog, de waarheid lag heel anders! Het brandde op haar lippen om te vertellen wat er in Rubens brief had gestaan. Maar met moeite hield ze zich in. Nee, dat was vertrouwelijk, dat mocht ze niet verraden...

'Ik geloof er helemaal niks van,' probeerde ze relaxed te zeggen. 'Je zit gewoon je broer een beetje dom na te praten.

Toevallig ken ik Ruben goed en ik weet uit ervaring dat hij absoluut niet homo is.'

Maar tegelijkertijd hoorde ze zelf hoe haar stem van pure zenuwen bibberde. Blijkbaar trok ze zich Tahirs opmerking toch meer aan dan ze dacht. Ze beet op haar lip en wist niets meer te zeggen.

De stilte stapelde zich op, tot Anet ten slotte koel opmerkte: 'Dank je wel voor deze interessante informatie, Tahir. Wil je ons nu verder met rust laten?'

Ze griste de folder die voor zijn neus lag weg en keek hem vuil aan.

Tahir begreep eindelijk dat hij nu maar beter kon verdwijnen. 'Nou, ik heb mijn zegje gedaan,' zei hij, 'zie maar wat je ermee doet.' Toen stond hij langzaam op en verliet fluitend de aula.

Linde zat er nog steeds lamgeslagen bij. Hoe kon ze Floor, Anet en Jonne nou overtuigen dat er niks van waar was? Dat Tahir haar alleen maar wilde stangen omdat ze hem zaterdagavond afgewezen had? Waarom zei niemand iets? Maar de meiden ontweken haar smekende blik.

Anet schraapte nadrukkelijk haar keel en zei zo neutraal mogelijk: 'Ik voel wel wat voor drie dagen Parijs. Dan kunnen we een beetje gaan shoppen en zo. Wat vinden jullie daarvan?'

Er prikten opeens tranen achter Lindes ogen.

Toch moest Linde 's middags aan Tahirs woorden terugdenken, toen ze Ruben in de winkelstraat ontdekte. Ze kon niet meer net zo spontaan als altijd op hem afrennen en in zijn armen vallen.

Rubens gezicht verstrakte en hij zoende haar vluchtig op de mond. Meer niet.

Zijn koele houding maakte Linde een beetje nerveus. Hij leek bijna weer de oude Ruben die ze een paar weken geleden in de gang bij de toiletten tegen het lijf was gelopen: ongrijpbaar, onverschillig.

Maar op hetzelfde moment bedacht ze dat het misschien ook wel aan haarzelf lag. Zij gedroeg zich anders dan anders en daar reageerde hij meteen afstandelijk op.

Linde vermande zich. Ze ging op haar tenen staan, sloeg haar armen om zijn nek en dwong hem tot een diepe, innige zoen. Midden op straat. Het kon haar geen barst meer schelen wat de mensen van hen zouden vinden.

Met tegenzin duwde hij haar even later van zich af. 'Ik moet met je praten,' zei hij schor.

Haar onrust groeide. Nee, ze had zich daarnet toch niet vergist. Er zat hem duidelijk iets dwars. Zwijgend liepen ze door de winkelstraat naar hun vertrouwde bankje in het park aan de singel.

'Misschien is het beter als we elkaar voorlopig even niet zien,' zei hij terwijl hij haar blik ontweek. 'Ik heb je eigenlijk al te veel over mezelf verteld. Ik wil me weer helemaal... vrij kunnen voelen.'

Haar hart sloeg een slag over van schrik. 'Waarom doe je opeens zo moeilijk? Wat is er dan gebeurd? Je hoeft echt niet bang te zijn dat er door zaterdag iets tussen ons is veranderd. Gisteren niet en nu ook niet. Ik ben nog steeds verliefd op je.'

Hij zuchtte. 'Ik ook op jou. Dat is het probleem ook niet. Maar eh... ik wil je niet verder met mijn ellende opzadelen. Er wordt inderdaad een proces-verbaal tegen me opgemaakt, dat hoorde ik gisteren van mijn vader.'

Een streepje zonlicht viel tussen de bladeren door op zijn gezicht. Hij knipperde met zijn ogen en hief zijn hand om zijn ogen tegen het licht te beschermen.

Met een hese stem zei hij: 'Niemand weet nog van ons af. Laten we dat dan maar zo houden. Misschien moet ik straks voor de rechter verschijnen. Wat zul je dan blij zijn met zo'n vriendje, maar niet heus!'

Ze schoof wat dichter naar hem toe en legde haar hoofd op zijn schouder. 'Dat maakt me allemaal niets uit, lieve Ruben. Hè, ik voel me nou weer een beetje opgelucht. Ik was daarnet even bang dat je het wilde uitmaken. Waarom vertel je me niet wat er nog meer in je hoofd rondspookt? Je ziet er zo ongelukkig uit.'

'Dat kan ik juist niet,' zei hij mat. 'Niemand weet ervan en dat wil ik ook zo houden. Maar ik voel me hartstikke schuldig.'

'Waarover dan? Wat heb je dan voor verkeerds gedaan?'

Maar hoe ze hem ook aan het praten probeerde te krijgen, hij weigerde iets los te laten.

Pas toen ze zogenaamd per ongeluk de naam van Machmed liet vallen, maakte hij een kleine schrikbeweging. 'Hoe ken jij die jongen?'

'Zijn broertje zit bij mij in de klas,' zei Linde snel. 'Ik stond zaterdagavond met Tahir in The Grant te praten, toen jij eruit gezet werd. Hij weet dat we samen iets hebben. Nu beweert hij dat jij vroeger in de tweede een mes bij je droeg. Gewoon een domme roddel, volgens mij. Ja, toch?'

Hij leunde naar achteren en mompelde: 'Nee, het klopt wel. Ik was toen zo bang geworden voor die jongens uit mijn klas, dat ik van mijn zakgeld een vlindermes kocht. Ik liet het een paar klasgenoten in de pauze zien en zei dat ik daarmee iedereen die me ooit nog met één vinger zou aanraken, lek zou prikken. Dat vertelden ze onmiddellijk aan elkaar door.'

Hij sloot even zijn ogen. 'Ik weet niet wie Mijnsma toen ingelicht heeft, maar ze organiseerde de volgende dag een gesprek met mijn vader. Ze heeft alles met hem doorgesproken wat ik haar in onze mentorgesprekken vertrouwelijk had verteld. Hij was woest op me: zíjn zoon bijna van school ver-

wijderd, vanwege wapenbezit! Daarna ben ik op karate gegaan. De rest weet je al.'

Met een ruw gebaar trok hij Linde naar zich toe en verborg
zijn gezicht in haar hals.

Ze sloeg haar armen om hem heen en streelde hem over zijn
korte haren. Ze voelde zijn hart als een razende tekeergaan.
Waarom reageerde hij plotseling zo geëmotioneerd? Welk
deel van zijn verhaal had hij overgeslagen, omdat ze het niet
van hem mocht weten? Ze vond het laf en kinderachtig van
zichzelf, maar ze durfde de foto van Mijnsma in bikini nu
helemaal niet meer aan te kaarten. Omdat ze verschrikkelijk
opzag tegen zijn reactie.

21

Freespirit-blogspot.com
Onderwerp: Mail
Plaats: Thuis
Tijd: 10 juni, 22.25 uur

Pa's humeur is de laatste tijd erg grillig geworden. Als ma hem wat vraagt, reageert hij afwezig, maar bij het minste of geringste kan hij een woedeaanval krijgen. Ik vermijd zijn gezelschap zoveel mogelijk. Mijn kleine zusje is ook weer aan het slaapwandelen geslagen. Gisteren hoorde ik haar de trap af stommelen en trof haar even later in de kelder aan!

Maar inmiddels heb ik ook iets vreselijks ontdekt. Ik volg al een tijdje hun mailwisseling en heb zojuist haar laatste mail aan pa gelezen. Het monster is zwanger!

Blijkbaar heeft pa haar gevraagd om het kind te laten weghalen, want ze schrijft: 'Ik heb besloten onze liefdesbaby te houden, ook al ben je het niet met me eens. Maar ik ben al ruim over de dertig. Tegen de tijd dat je jongste achttien is, ben ik te oud om nog gemakkelijk zwanger te kunnen worden. Ik weet hoe nauw je je bij de opvoeding van je kinderen betrokken voelt, darling, maar je zou misschien ook eerder kunnen gaan scheiden. Denk hier eens over na.'

Dat mens verwoest ons hele leven. Mijn moeder en zusje storten helemaal in als ze dit nieuws horen. Hoe kan ik me nou nog blijven gedragen of ik me nergens van bewust ben? Mijn leven begint langzamerhand steeds meer uit elkaar te vallen. Het lijkt wel alsof ik op *een schip in de richting van de Noordpool koers. Welke kant ik ook kies, overal zie ik de ijsbergen uit mijn verleden opdoemen, waar ik mezelf te pletter tegen ga varen. Elke avond zie ik vlak voordat ik in slaap val op mijn netvlies het beeld verschijnen van dat bange aangeslagen jongetje, dat in een opwelling naar het huis van zijn mentor gefietst is, met zijn neus tegen de ramen gedrukt naar binnen gluurt en ontdekt hoe de echte wereld in elkaar zit, vol leugens en bedrog en verraad.*

Ik zou misschien de stekker uit mijn gevoel moeten trekken en mijn hart in de diepvries leggen. Maar zelfs dat lukt me niet. Gisteren liep het monster me in de gang voorbij en liet haar blik over me heen glijden alsof ik een stuk zwerfvuil was en meteen voelde ik mijn drift oplaaien. Het scheelde niet veel of ik had me omgedraaid en haar in haar gezicht geslagen. Respect is een inhoudsloos woord geworden, dankzij haar. Ik weet niet meer wat ik moet doen. Mijn hoofd wil niet meer stoppen met piekeren.

Langzaamaan begon Ruben zich voor Linde af te sluiten. Nog altijd zagen ze elkaar iedere dag. Maar het leek wel alsof hij stukje bij beetje een groot stuk plastic om zich heen wikkelde. Ze kon hem nog steeds zien en aanraken, met hem zoenen. Maar echt praten deed hij niet meer. Er bestond alleen nog lichamelijk contact tussen hen. Elke poging van haar om een gesprek te beginnen kapte hij af. Als ze uitgezoend waren, bleef hij stil en teruggetrokken, met zijn arm om haar heen geslagen, op het bankje in het park bij de singel naast haar zitten tot het tijd was om weer naar huis te gaan.

Linde trok zich zijn zwijgzame houding meer aan dan ze liet merken. Hij had het duidelijk moeilijk. Toch irriteerde het haar ook dat hij haar nergens bij wilde betrekken. Soms kon ze amper de neiging onderdrukken om hem bij zijn schouders te pakken, heen en weer te schudden en boos

135

te roepen: 'Zeg nou eens wat! Waarom ben je steeds zo somber? Vertel me toch waar je over loopt te piekeren!'

Maar ze durfde het hem niet rechtstreeks te vragen. Want als ze Ruben te veel onder druk zette, zou hij het misschien toch uitmaken... Niet voor niets had hij zichzelf Free Spirit genoemd. En ze wilde hem niet kwijt. Ze was nog steeds verliefd op hem.

Gelukkig sprak ze ook haar vriendinnen dagelijks op school. Die brachten haar weer terug naar de werkelijkheid. Anders was ze misschien helemaal doorgedraaid, alle ruimte in haar hoofd werd door Ruben ingenomen... Huiswerk maken of proefwerken leren bestond allang niet meer.

Linde kon er niets aan doen, maar ze bleef de hoop koesteren dat Ruben vanzelf weer de oude zou worden. Dat proces-verbaal zit hem natuurlijk ook dwars, hield ze zich voor, als dat straks voorbij is, komt alles weer in orde. Ze probeerde hem op te peppen met allemaal wilde verhalen over haar naderende vakantie met de meiden. Af en toe toonde hij een beetje interesse en dan informeerde hij bijvoorbeeld hoe lang ze precies weg zou blijven. O, minstens twee weken? Van camping naar camping? Leuk plan. En daarna ook nog met haar ouders? Heftig! Meestal kreeg zijn sombere stemming dan weer de overhand.

Haar schoolresultaten begonnen te kelderen. Toen Linde op een gegeven moment de zoveelste onvoldoende terugkreeg, verfrommelde ze met een onverschillig gezicht het proefwerkpapier en gooide de prop bij het verlaten van het lokaal in de prullenbak. Anet liep net achter haar en zag wat ze deed. Ze trok Linde mee naar de wc. 'Vervelend voor je, die drie! Sta je er nu erg slecht voor? Ik hoop niet dat je straks een herkansing krijgt. Dan is onze hele vakantie verknald. Je ziet er trouwens helemaal niet gelukkig uit. Gaat het nog wel goed tussen jou en Ruben?'

Maar Linde rukte zich los en zei dat er niets aan de hand was.
Ze had het gewoon druk, dat was alles.

Toen de nieuwe periodelijst binnen was gekomen, fronsten ook haar ouders hun wenkbrauwen bij het zien van zoveel slechte cijfers. 'Linde, dit zijn we niet van je gewend, hoor! Wat mankeert je?'

Ze haalde haar schouders op. 'Ach, even een klein dipje. Ik haal alles heus wel weer op.'

Tot haar opluchting hielden ze verder hun mond.

'Je hebt dus aardige ouders,' zei Ruben, toen ze hem 's middags over hun reactie vertelde. 'Mijn vader ging helemaal steigeren, toen hij die één bij Nederlands zag staan. Het werd bijna meteen weer heibel.'

Zijn hand probeerde onder haar jack te verdwijnen. Maar Linde veranderde snel van houding, zodat hij zijn arm moest terugtrekken om niet knel te komen zitten.

'Een één? Heb jij voor Nederlands een één gehaald?' .

'Dat was weer een afzeiktruc van Mijnsma. Ik had mijn werkstuk niet op tijd ingeleverd.'

Ruben krulde minachtend zijn lippen. 'Misschien blijf ik straks nog op Nederlands hangen ook. Dat zou de grap van de eeuw zijn. Of het mij nog wat boeit trouwens! Ze kan voor mijn part doodvallen. Nog liever gisteren dan vandaag.'

'Als je het nou eens bij je mentor aankaart,' opperde Linde, 'en hem vertelt wat er thuis aan de hand is? Dat je je door alle ruzies niet goed kunt concentreren en zo? Misschien doet hij dan een goed woordje voor je bij Mijnsma.'

Tot haar verbazing moest Ruben daar ineens erg om lachen. Hij wilde haar niet uitleggen wat hij er zo komisch aan vond. Maar toen ze bleef aandringen, werd hij boos. 'Maak je over mij maar geen zorgen, Linde. Ik kan uitstekend mijn eigen zaakjes regelen.'

Daarna staarde hij strak voor zich uit en zei niets meer.

Voor het eerst was Linde blij dat het op een gegeven moment tijd werd om naar huis te gaan.

Toen ze 's avonds laat nog eens goed over hun gesprek nadacht, begon ze zich steeds meer op te winden over zijn reactie. Zo stom was haar advies toch niet geweest? Hij deed nu wel alsof hij een gruwelijke hekel aan Mijnsma had, maar waarom bewaarde hij dan zo'n persoonlijke foto van haar? Ze schoof achter de computer en schreef in een opwelling:

Lieve, lieve Ruben. Ik moet je iets bekennen. Nu niet boos worden op me: ik weet dat je in je bureaula een foto van Mijsma bewaart, in bikini. Volgens mij moet je toch iets speciaals met haar hebben. Want anders was je vast nooit aan deze foto gekomen. Kun je haar niet gewoon rechtstreeks vragen of ze je nog een kans wil geven? Zou dat niet een goede oplossing zijn?

xxx
Linde

Maar Ruben reageerde niet. Die woensdag gleed voorbij zonder dat Linde een glimp van hem opving. Ze wist niet eens zeker of hij wel op school was. Tot ze in het zevende uur in de mediatheek achter de computer zat te werken en plotseling zag dat ze een hyvesbericht van Ruben had gekregen. Waarom zocht hij op school ineens contact met haar? Ging hun afspraak van vanmiddag soms niet door?
Vlug opende ze het bericht en las met verbazing: 'Linde, het lijkt me beter dat het uit is tussen ons. Doe verder geen moeite. Aju.'
Dat was alles. Ruben noemde geen enkele reden waarom hij genoeg van haar had gekregen. Nee, hij koos gewoon de gemakkelijkste weg, hij gaf haar digitaal de bons!

Linde wist niet goed of ze nu heel kwaad zou worden of in tranen zou uitbarsten. Ze sloot haar ogen en probeerde uit alle macht haar emoties weer een beetje onder controle te krijgen. Zoiets deed je toch niet, het via hyves uitmaken! Dat was nog veel erger dan per telefoon of met een sms'je. Nee, dit pikte ze echt niet! Ze moest het van Ruben uit zijn eigen mond horen, nu meteen! Hij zou vast nog wel ergens op school rondhangen.

Ze griste haar spullen bij elkaar en rende de mediatheek uit, verbaasd nagestaard door Floor, Anet en Jonne.

Na een kwartier zoeken kwam ze erachter dat Ruben zich had afgemeld en naar huis was gegaan. Volgens de conciërge had hij er beroerd uitgezien.

Na school ga ik onmiddellijk naar hem toe, nam ze zich voor. Hij mag me eens haarfijn gaan uitleggen wat er aan de hand is.

Rubens fiets lag scheef tegen het hekje aangekwakt. Hij was dus thuis. Aarzelend bleef Linde op de stoep bij de voordeur staan en belde aan. Aanvankelijk gebeurde er niets. Pas na haar derde poging hoorde ze iemand de trap af stommelen. Daarna klonk het geluid van een sleutel die omgedraaid werd en Ruben verscheen in de deuropening. 'Jij hier.'

Zijn stem klonk schor. Er lag een vreemde blik in zijn ogen. Hij zag er raar uit. Al zijn stoerheid was verdwenen.

'Ja, ik hier,' zei ze stroef. 'Wat een originele variant op "hé, jij daar" heb je verzonnen, zeg.'

'Kom je speciaal hiernaartoe om me dat te vertellen? Heb je mijn bericht soms niet ontvangen?'

Ze knikte. 'Maar zo'n stomme boodschap neem ik natuurlijk niet serieus. Wat denk je zelf? Mag ik even binnenkomen? Om met je te praten?'

Zijn gezicht verstrakte. 'Nee. Dat lijkt me niet verstandig.'

'Waarom niet?'

Hij aarzelde een paar seconden, lang genoeg voor Linde om te zien hoe zijn ogen volschoten. Hij maakte opeens weer zo'n ongelukkige, kwetsbare indruk dat ze spontaan over de drempel stapte, haar armen om zijn nek sloeg en hem naar zich toe trok.

'Uitmaken moet je altijd met zijn tweeën doen,' fluisterde ze in zijn oor, 'en ik ben toevallig niet van plan daaraan mee te werken.'

Toen begon ze hem in de gang hartstochtelijk te zoenen. Ze voelde hoe Ruben over zijn hele lichaam begon te trillen, terwijl hij haar even hartstochtelijk terugzoende. Zijn handen gleden onder haar jack.

Linde liet alles toe. Ze vond het helemaal niet erg dat hij haar beha omhoogschoof en haar borsten begon te strelen. Maar toen ze zich nog dichter tegen hem aannestelde, duwde Ruben haar met een lichte kreun van zich af en deed een stap achteruit.

'Nee, Linde! Nee! Ik kan dit niet meer.'

'Wat niet? Wat bedoel je? Wat kan je niet?'

'Ik kan je niet meer vertrouwen. Nooit meer. Je hebt in mijn spullen lopen graaien. Dat had je nooit mogen doen. Waarom denk je dat ik die foto geheim heb gehouden? Niemand mocht van die foto afweten. Het is uit tussen ons. Ik wil dat je nu weggaat en me voorgoed met rust laat. Ik wil niks meer met je te maken hebben.'

Linde staarde hem verbijsterd aan.

'Maar ik begrijp het niet, Ruben! Het was fout wat ik deed, dat geef ik eerlijk toe. Ik vond die foto per ongeluk toen ik naar een papiertje zocht om iets liefs op te schrijven. Maar ik bedoelde er toch niets verkeerds mee?'

Ruben wendde zijn hoofd af.

'Je hebt in mijn verleden rondgesnuffeld, Linde. Ik dacht dat je lief en betrouwbaar was, maar ik heb me in je vergist. Het is voorbij. Ik ben niet meer verliefd op je.'

Met een wit weggetrokken gezicht voegde hij er langzaam en nadrukkelijk aan toe: 'Sterker nog, ik ben zelfs nooit verliefd op je geweest. Ik heb je alleen maar gebruikt. Een kleine weddenschap met mezelf, of zo'n brave truttige meid als jij gemakkelijk te versieren zou zijn. Ik weet nou het antwoord: je bent net zo oneerlijk en schijnheilig als alle anderen.'

Hij liegt, flitste door haar heen. Hij probeert me expres te kwetsen, zodat ik ook rotopmerkingen ga maken en we ruzie krijgen. Hij wil me van zich afstoten.

Haar tranen zaten opeens hoog. Ze beet krampachtig op haar lip om ze terug te dringen. Nee, ze wilde niet gaan huilen waar hij bij stond. Nee!

'Ik geloof je niet!' barstte ze uit. 'Waarom doe je nou opeens zo rottig? Kap daar alsjeblieft mee, Ruben! Ik ben nog steeds stapelgek op je. En jij ook op mij, dat kon ik daarnet duidelijk merken. We houden toch van elkaar?'

Hij lachte, met een akelig holle lach die haar bijna bang maakte.

'Daar vergis jij je dan in. Liefde bestaat niet. Daar ben ik inmiddels wel achter gekomen. Toen ik daarnet je borsten mocht strelen, ja, dat vond ik lekker. Daar heb je gelijk in. Maar dat is geen liefde. Dat is gewoon zin in seks. Het enige waar jullie vrouwen goed voor zijn: seks en kinderen krijgen. Voor de rest deugen jullie niet.'

Zijn toon werd hard: 'Donder nou maar snel op. Ik wil je nooit meer zien. Mijn moeder kan elk moment met Eva thuiskomen en ik wil niet dat ze je hier aantreffen. Want dan ga ik misschien dingen zeggen die jullie geen van drieën willen horen. Life still goes on, Linde, je komt er vanzelf wel weer overheen. Binnen de kortste keren heb je een nieuw vriendje. De mazzel.'

Hij duwde haar hardhandig naar buiten en kwakte de voordeur achter haar dicht. Ze ving aan de andere kant een raar gesmoord geluid op en daarna hoorde ze hem naar boven stormen.

Linde bleef als versteend op de stoep staan. Ze had niet in de gaten dat de tranen over haar wangen stroomden.

22

Anet, Floor en Jonne kwamen 's middags meteen naar haar toe, toen Linde hun sms'te dat Ruben haar gedumpt had. Ze vroegen nergens naar. Ze troostten haar, gaven tissues aan en luisterden naar haar stortvloed van woorden, zonder Ruben de grond in te boren of stomme opmerkingen te maken in de trant van: 'Zie je nou wel, we hadden je nog zo gewaarschuwd.' Linde biechtte alles op. 'Jullie zijn zo lief voor me,' hikte ze tussen twee huilbuien in. 'De beste vriendinnen van de wereld.' Jonne streelde haar rug. Anet nam de verfrommelde tissue van Linde over, gooide hem in de prullenbak en gaf haar een nieuwe aan.

'Hier. Snuit je neus nog maar eens.'

Linde gehoorzaamde braaf. 'Ik hou zo van hem! Hij is zo ongelukkig en dan ineens dit! Ik begrijp er niks meer van! Het lijkt wel of hij iedereen opzettelijk van zich af wil stoten. Straks heeft hij helemaal niemand meer.'

'Hij barst van de problemen, zeg je? Misschien vond hij het te ingewikkeld worden om ook nog met jou rekening te houden en wil hij weer dingen in zijn eentje gaan doen,' zei Floor nuchter. 'Hij voelde zich door jou geblokkeerd of zo. Nou ja, weet ik veel, ik zeg ook maar wat.'

'De mannelijke variant van zuster Bertken,' grapte Jonne plotseling. 'Hij sluit zich van de wereld af en gaat voor het hogere doel: zijn eigen vrijheid. Voortaan zullen we hem monnik Bert noemen.'

Tot hun verbazing begon ze daarna te citeren:

'Ik was in mijn hoofkijn om kruud gegaan,
Ik en vand er niet dan distel ende doorn staan.
Den distel ende den doorn die wierp ik uut,
Ik zoude gaarne planten ander kruud.'

Met een onschuldig gezicht voegde ze eraan toe: 'Ik weet alleen niet zeker hoe ik me jou daarbij moet voorstellen, Linde. Ik zou me toch echt beledigd voelen, als ik wist dat mijn ex-vriendje me als een distel of een doornstruik uit zijn hart gerukt had. Ik had dan liever dat andere kruud willen zijn.'

Linde schoot door haar tranen heen in de lach. Maar Anet en Floor staarden Jonne vol afgrijzen aan en riepen dat ze zich als een idiote stuud zat aan te stellen. Hoe lang had ze erover gedaan om deze verschrikkelijke dichtregels uit haar hoofd te leren?

'Ach, ik vond ze wel mooi rijmen,' verdedigde Jonne zich zwakjes, 'daardoor kon ik ze ook gemakkelijk onthouden.'

'Wat zit jij te kletsen, zeg,' zei Anet streng, 'volgens mij heb je alles gewoon stiekem overgeschreven.' Waarna Floor spottend begon te zingen: 'O, die arme distels en doornen, die konden ons Jonne zo bekoornen' en ze alle vier de slappe lach kregen.

Toen Linde hen om halfzes uitzwaaide en de deur achter hen dichtdeed, voelde ze zich al een stuk beter. Vooral Anets laatste opmerking deed haar goed: 'Als je hem straks gaat missen, Linde, verheug je dan maar op onze vakantie. We gaan weer gezellig met zijn allen op jacht!'

De meiden gaven Linde geen enkele kans om lang in haar liefdesverdriet te blijven sudderen. Ze lieten haar geen moment alleen en betrokken haar non-stop bij alle vakantie-details, tot ze ten slotte wanhopig uitriep dat ze horendol van alles werd. Maar door hun aanhoudende zorg en aandacht begon al snel het ellendige gevoel dat ze gedumpt was weg te ebben. Linde dwong zichzelf om op school niet naar Ruben uit te kijken, hoewel haar dat best moeite kostte. Want hij viel met zijn lengte overal op.

Gelukkig beschermden Anet, Floor en Jonne haar zoveel mogelijk tegen een confrontatie. Zodra een van hen hem ergens door de gangen of in de aula zag lopen, sleurde ze de anderen snel de andere kant op.

Toch miste Linde Ruben eigenlijk meer dan ze verwacht had. Telkens als ze 's middags de straat voorbijreed die ze anders richting V&D genomen zou hebben, besprongen allerlei herinneringen haar. Zijn ogen die helemaal gingen stralen als hij haar zag komen aanlopen. De manier waarop hij haar even later omhelsde, zijn strelende handen... En ten slotte het allerlaatste moment: de intens verdrietige uitdrukking op zijn gezicht, vlak voordat hij de deur voor haar neus dichtgooide.

'Dat nare gevoel slijt heus wel,' stelde haar oma Linde gerust. 'Je moet het maar beschouwen als een soort minirouwproces. Elke dag zal het minder pijn gaan doen. Pak de draad van je leven weer op, liefje, en spreek veel leuke dingen met je vriendinnen af. Dat zal je een beetje afleiding geven. Op een gegeven moment sta je vanzelf weer open voor een nieuwe liefde.'

Haar oma kreeg inderdaad gelijk. Zodra Linde zich op haar schoolwerk stortte, in een verwoede poging om haar slechte cijfers op te halen, raakte de gedachte aan Ruben steeds meer op de achtergrond.

'Je bent de laatste tijd weer lekker bezig, meid,' zeiden haar ouders goedkeurend tegen haar, toen de laatste periodelijst binnen was gekomen. 'Netjes, hoor. Vrijwel geen onvoldoende meer. Zo kennen we je weer.'

Toen brak de eindproefwerkweek aan. Nog tien dagen dwang-arbeid eruit persen, zoals Floor het noemde, en dan ta-ta-ta, lag Frankrijk aan hun voeten! De vriendinnen spraken elkaar in deze periode weinig, eigenlijk alleen via msn. Na school ging ieder van hen zo vlug mogelijk naar huis, om aan de stof voor het volgende proefwerk te kunnen werken.

Die donderdagmiddag liep Linde Ruben toevallig tegen het lijf, in de fietsenstalling. Ze zocht naar haar fiets en daar stond hij opeens. Ze kon hem niet meer ontlopen.

'Dag Linde.'

Ze staarde Ruben aan. Hij was magerder geworden in zijn gezicht. Er zaten donkere kringen onder zijn ogen, alsof hij weken niet goed geslapen had.

'Hoi,' zei ze kort.

'Ik heb op het proefwerkrooster gekeken wanneer je klaar was. Ik eh... wilde je alvast een prettige vakantie wensen. Je gaat toch binnenkort weg?'

Waarom zocht hij opeens contact met haar? Hield hij dan geen rekening met haar gevoelens? Híj had het uitgemaakt, hoor!

Maar ze slikte haar woorden in. Hij zag er zo ongelukkig uit! Ze onderdrukte de neiging om haar armen om zijn hals te slaan en in zijn nek te blazen om hem weer een beetje aan het lachen te krijgen, zoals bij hun allereerste zoen, en zei op effen toon: 'We vertrekken volgende week. Maar in ieder geval bedankt. Hè, ik zal blij zijn als morgen de proefwerk-week afgelopen is. Mijn hersens beginnen langzamerhand overuren te draaien. Hoe heb jij alles tot nu toe gemaakt?'

Een sukkelige standaardvraag, maar ja, wat moest ze anders? Ruben schudde langzaam zijn hoofd. 'Ik heb gisteren een ge-sprek met de mentor gehad en ik blijf dit jaar waarschijnlijk zitten. En jij? Ga je over?'

Linde knikte. 'Ik denk het wel.'

Ze zwegen weer.

Haar hoofd stroomde vol vragen die ze hem nu zou willen stellen, allemaal beginnend met: 'Waarom, Ruben? Ik mis je zo verschrikkelijk...' Want ze begreep er nog steeds niets van. Hij deed helemaal geen moeite om het gesprek een beetje op gang te krijgen en toch stond hij hier en bleef haar maar aangapen, alsof hij zich haar gezicht wilde inprenten. Wat verwachtte hij nou van haar? Koortsachtig zocht ze naar een goed excuus waarom ze geen tijd meer had en nu echt weg moest, toen hij plotseling zei: 'Weet je eigenlijk waarom ik per se wilde dat die ene marmot van mijn kleine zusje Sushi zou heten?'

'Nee. Natuurlijk niet. Hoe kan ik dat nou weten? Dat is toch jullie persoonlijke geheim?'

'Maakt niet uit. Geheimen zijn er om in te grasduinen en om te verraden.'

Linde verstrakte. Bedoelde hij deze opmerking als een steek onder water?

Maar zijn gezicht stond serieus. 'Als ze later met dat beest speelt, zal ze aan mij kunnen denken. Ze mag nooit vergeten dat ze mijn sushi is. Het enige kleine sushi dat ik heb. Dat zal ze ook altijd voor mij blijven. Vertel haar dat maar, als je haar ooit ergens tegenkomt. Dat zal ze vast wel leuk vinden om te horen.'

Terwijl hij zich omdraaide, merkte hij terloops over zijn schouder op: 'See you some time in heaven, Linde.'

Toen verliet hij fluitend de fietsenstalling, zijn handen in zijn zakken gestoken, alsof hun gesprek hem helemaal niets gedaan had.

Linde staarde hem verward na. Nee, het ging niet goed met Ruben. Ondanks zijn stoere en onverschillige houding hadden er tranen in zijn ogen geblonken.

Freespirit-blogspot.com
Onderwerp: Voorbij
Plaats: Thuis
Tijd: 4 juli, 23.00 uur

Dit is de laatste keer dat ik dit blog bijwerk. Ik ga het bewust niet deleten, zoals ik met mijn hyvesaccount heb gedaan. Als Hé-jij-daar ooit op het idee komt om op internet naar Free Spirit te googlen, wil ik dat ze mijn blog kan vinden. Ze is een klein lichtpuntje in mijn leven geweest. Misschien vindt ze het later fijn om te lezen dat ze echt iets voor me betekend heeft en kan ze achteraf toch nog een beetje begrip voor me opbrengen. Ik heb alvast alle sorry's op mijn strippenkaart afgestempeld. Nu hoef ik geen nieuwe meer aan haar te vragen. Vandaag hoorde ik van de mentor dat ik zelfs geen recht meer heb op een herkansing. Ik mag de vijfde dus overdoen. Het is mijn eigen schuld dat het allemaal zo gelopen is, zegt hij.
Mijn besluit staat nu definitief vast. Er moet een einde aan deze toestand komen. Ik heb er lang over nagedacht, maar ik weet geen andere oplossing meer. Ik kan niet nog twee jaar lang blijven toneelspelen alsof er niets aan de hand is. Dat hou ik niet vol. Als over een paar maanden het kind geboren is en het roddelcircuit op volle toeren draait en iedereen speculeert wie de vader zou kunnen zijn, zullen de problemen hier thuis alleen maar erger worden. Pa voelt zich natuurlijk aan alle kanten heen en weer geslingerd en dan zal ze hem echt onder druk gaan zetten om een keuze te maken. Die scheiding dramt ze gewoon door.
De coördinator heeft dat goed ingezien: ik heb geen respect voor haar. Ik heb voor niemand meer respect. Niet voor haar, niet voor pa en zeker niet voor hun ongeboren kind. In haar nieuwe mail schreef ze dat het een meisje wordt.
Mijn nieuwe sushi... Nee. Nee! Ik word bijna misselijk bij die gedachte.

148

Vanavond ben ik de hele tijd beneden in de kamer gebleven, bij mijn kleine zusje en ma. Pa verborg zich achter de krant en zei geen woord. Zijn zwijgzaamheid kwam mij dit keer perfect uit. Mijn zusje moet aan deze laatste avond een goede herinnering overhouden. We lieten haar marmotten hardloopwedstrijdjes houden. Ze wilde per se dat Sushi zou winnen en we gingen net zo lang door tot het beestje onder de kast schoot en daar voor pampus bleef liggen hijgen.

Ze straalde toen ik haar een complimentje gaf. 'Wat kun jij fanatiek zijn, joh. Maar het is je gelukt, Sushi is eerste geworden, hoor. Gefeliciteerd!'

Af en toe keek ik naar ma. Ze zat duidelijk te genieten zoals ik met mijn kleine zusje bezig was en weer met pa in één kamer kon zijn, zonder ruzie. Ik wist wat ze dacht: we lijken nu bijna weer het gezin van vroeger.

Ja, ma, bijna. Voordat zij in jullie leven kwam...

Toen ze mijn blik opving, glimlachte ik naar haar. Een soort afleidingsmanoeuvre, ze mag niks vermoeden. Ze keek me even peinzend aan en beantwoordde toen mijn glimlach.

Toen ik daarnet naar boven ging, trok ma me naar zich toe, streelde me over mijn haar en bedankte me voor de fijne avond. Ik mompelde iets onverstaanbaar terug en omhelsde haar. Tegen dit moment heb ik het meest opgezien. Maar het ging goed. Ik kon met een uitgestreken gezicht de kamer uit benen.

Het is me gelukt. Mijn gevoel is bevroren. Ik voel ook geen angst meer. Ik ben alleen nog maar moe en leeg vanbinnen. Ik heb haar huissleutel uit pa's portemonnee gepikt en ga nu de computer afsluiten en de wekker om halftwee zetten. Haar foto zal ik in mijn bureaula laten liggen. Het is te laat om pa er nou nog mee te confronteren. Dat had ik inderdaad veel eerder moeten doen. Maar morgen zal hij in ieder geval tot de ontdekking komen dat ik van hun relatie afwist. De rest van de vakantiefoto's heb ik voor de zekerheid

van zijn computer verwijderd. Mijn zusje moet kunnen blijven ge-
loven dat hij op dienstreis was.
Ik hoop tenminste dat hij haar die illusie zal gunnen.
Datzelfde geldt trouwens ook voor ma...
Stop.
Genoeg.
Straks is het allemaal voorbij...

Epiloog

'Who wants to live forever...?'
Die zaterdagmiddag bleef dit zinnetje eindeloos in Lindes hoofd doormalen, afgewisseld met Anets aangeslagen woorden: 'O Linde, heb je het al gehoord? Zo vreselijk! Ruben heeft vannacht Mijnsma en zichzelf doodgeschoten. Met zijn vaders dienstrevolver.'
Met haar handen om haar knieën geslagen wiegde ze midden in haar kamer heen en weer, heen en weer, als in een soort trance. Haar wangen waren kletsnat van de tranen.
Waarom, Ruben? Waarom heb je dit gedaan?
Een paar keer ging haar mobiel, maar ze weigerde op te nemen of zelfs maar te kijken wie haar nu weer probeerde te bellen. Ze wilde met rust gelaten worden. Nadenken. Huilen. Hem missen. Zich verdrietig voelen en zo'n intens diep medelijden met hem hebben, dat ze er af en toe bijna misselijk van werd.
Toen Linde ten slotte aan het einde van de middag met roodbehuilde ogen de kamer binnenkwam, verdween Merel op een teken van hun vader muisstil naar boven.
Haar moeder en vader zaten op de bank dicht tegen elkaar aan en zagen er allebei ontdaan uit.
Haar moeder sprong overeind en omhelsde haar zwijgend.
'Anet heeft ons ingelicht. Wat een naar nieuws,' fluisterde ze in haar oor. 'We schrokken er verschrikkelijk van. We vermoedden wel dat je een jongen leuk vond, maar dat hij je vriendje was, nee, dat wisten we niet. Papa en ik houden

151

zoveel van je, Linde. Je moet dit niet in je eentje proberen te verwerken. We willen je graag helpen. Zou je ons eh... wat meer over hem willen vertellen?'

Linde bleef beweginloos staan. Ze voelde de warmte van haar moeders lichaam op haar huid, door de stof van haar kleren heen. Zo veilig en beschermd in haar armen...

Haar stem klonk schor, toen ze aarzelend van wal stak: hoe ze Ruben ergens in maart tegen het lijf was gelopen. Zijn act bij De Artistiekelingen. Hun eerste zoen hier thuis op de bank toen iedereen weg was. Al hun afspraakjes 's middags, zelfs de vechtpartij met zijn vader waar ze niets van af mocht weten.

Maar toen ze al vertellend ten slotte bij eergisteren belandde, realiseerde ze zich met een schok dat zijn laatste opmerking 'See you some time in heaven' als een vooruitwijzing was bedoeld. Hij nam toen vast afscheid van haar, op zijn eigen manier. Haar tranen begonnen vanzelf weer te stromen. 'Ik begrijp er niks van, mama. Ik begrijp er helemaal niks meer van.'

Haar moeder drukte haar dichter tegen zich aan. 'Niemand zal zoiets ooit begrijpen. Die jongen moet diep ongelukkig geweest zijn. Maar voel je alsjeblieft niet schuldig, lieverd. Je had het echt niet kunnen voorkomen, hoe graag je dat ook zou willen. Hij heeft er waarschijnlijk lang over nagedacht voordat hij dit verschrikkelijke besluit nam.'

Linde schudde verdrietig haar hoofd. 'Daar moet ik ook steeds aan denken. Ik wist hoe erg hij haar haatte. Maar dat doen meer leerlingen. Ik ook. Ik vond Mijnsma ook verschrikkelijk. Alleen hoeft dat toch nog geen reden te zijn om zoiets te doen? Nee toch?'

Tijdens het weekend werden alle scholieren in allerijl op de hoogte gebracht van wat er gebeurd was, met de toezegging dat er maandagmorgen op school een stiltelokaal ingericht zou worden, voor wie behoefte had om afscheid te nemen. Alleen Mijnsma's naam werd vermeld. Later bleek dat Rubens ouders uitdrukkelijk hadden geweigerd om toestemming te verlenen dat de school ook iets voor hun zoon zou organiseren. In zijn overlijdensadvertentie in de krant stond: 'Geen bezoek aan huis, geen bloemen. Crematie in besloten kring.'

Natuurlijk overlegden de meiden uitvoerig met Linde of ze met hen mee zou gaan. Maar ze kon het niet opbrengen. Achteraf vertelde Anet haar door de telefoon hoe het was geweest. In het stiltelokaal had aan de muur een vergrote versie gehangen van Mijnsma's foto uit het jaarboek. Op het tafeltje eronder lag een condoleanceregister met twee brandende kaarsen ernaast. Bosman hield de wacht, terwijl de leerlingen die hun deelneming wilden betuigen zwijgend voorbij schuifelden om hun handtekening in het boek te zetten.

'Iedereen was in shock,' klonk Anets stem mat door de hoorn, 'er hing echt een aangeslagen sfeer, we zaten allemaal met grote vraagtekens.'

Linde was blij dat ze besloten had om thuis te blijven, toen ze daarna van Anet hoorde hoe verschillende klasgenoten Ruben afschilderden als een meedogenloos monster.

Zou zij dan de enige geweest zijn die hem een beetje gekend had? Die wist hoe gevoelig en onzeker hij kon zijn? Hoe snel hij zich aangevallen kon voelen?

Haar ogen schoten vol. Hij was ook verliefd op haar geweest, daarvan was ze echt overtuigd. Hij had er net zo hevig naar verlangd om haar elke dag te zien.

O, Ruben, dacht ze verdrietig, ik had je zo graag willen helpen. Waarom heb je me toch zo weinig durven vertrouwen?

'Lieve Linde, wat is het toch allemaal vreselijk moeilijk voor je,' zei haar vader, toen hij haar een paar dagen na de ver-

153

schrikkelijke gebeurtenis 's avonds huilend op de trap aantrof. Hij tilde haar behoedzaam op en droeg haar als een klein kind naar haar kamer. Daar legde hij haar in bed en dekte haar troostend toe. 'Volgende week ga je lekker met de vriendinnen op vakantie en dan moet je echt weer plezier gaan maken, hoor!'

Ze knikte stom. Natuurlijk had haar vader gelijk. Het leven ging door, hoe zwaar het haar op dit moment ook viel. Ze luisterde naar het wegstervende geluid van zijn voetstappen op de trap. Zou ze Rubens ouders morgen opbellen en hun vertellen hoe erg ze het allemaal vond? Maar ze durfde het niet. Die mensen waren niet eens van haar bestaan op de hoogte!

Ruben was overal uit haar leven verdwenen. Opgelost. Het leek bijna alsof hij niet bestaan had. Haar enige tastbare herinnering aan hem was zijn brief na het voorval in The Grant. Vanaf dat moment was hij gaan veranderen...

Terwijl ze Merel even later zacht naar boven hoorde lopen naar haar kamer, zo geruisloos mogelijk om haar niet te storen, zaten haar tranen opeens weer hoog. Merel was de afgelopen dagen heel aardig voor haar geweest, zo begripvol en meelevend...

Arme, arme Eva. Voor dat meisje moest het helemaal verschrikkelijk zijn dat haar grote broer er niet meer was. Hij was dol op haar geweest.

Haar gedachten gleden voor de zoveelste maal terug naar Rubens laatste opmerking: 'Ze mag nooit vergeten dat zij mijn sushi is. Het enige kleine sushi dat ik heb. Dat zal zij ook altijd voor mij blijven. Vertel haar dat maar, als je haar ooit een keer ergens tegenkomt.'

In een opwelling besloot Linde om na de vakantie contact met Eva op te nemen en haar Rubens woorden over te brengen. 'Ik zal je broer ook nooit vergeten,' zou ze dan tegen haar zeggen. 'Hij heeft voor altijd een speciaal plekje in mijn hart. Hij was een heel lieve en zorgzame jongen. Zo zal ik me hem blijven herinneren. Hij wilde graag onafhankelijk zijn en daarom noemde hij zich Free Spirit. Hij was iemand om trots op te zijn. Een vrije geest.'

Die gedachte gaf haar, hoe eigenaardig ze het zelf vond klinken, op de een of andere manier een beetje troost.

I want to break free

I want to break free
I want to break free
I want to break free from your lies
You're so self satisfied I don't need you
I've got to break free
God knows God knows I want to break free

I've fallen in love
I've fallen in love for the first time
And this time I know it's for real
I've fallen in love yeah
God knows God knows I've fallen in love

It's strange but it's true
I can't get over the way you love me like you do
But I have to be sure
When I walk out that door
Oh how I want to be free baby
Oh how I want to be free
Oh how I want to break free

But life still goes on
I can't get used to living without
living without
living without you by my side
I don't want to live alone hey

God knows got to make it on my own
So baby can't you see
I've got to break free
I've got to break free
I want to break free yeah

I want I want I want I want to break free...

Music & Lyrics: John Deacon
© 1984 The Works – Queen/EMI Music
Published by: Queen Music LTD
Used by permission of: EMI Publishing Holland BV

Nawoord

Voorbij heb ik met gevoelens van weemoed en verdriet geschreven. Jaren geleden heb ik op mijn school meegemaakt dat een jongen uit de vijfde klas zich van het leven benam. Toen ik hem in de tweede lesgaf, vertelde hij me tussen neus en lippen door dat hij met een vlindermes op zak rondliep om zich buiten school te kunnen verdedigen. Hij hing in de kleine pauze tegen mijn bureau aan en was nagebleven om nog wat met me te kletsen.

'Word je dan bedreigd?' vroeg ik hem. Hij haalde zijn schouders op. Op school niet, maar daarbuiten, ja, dan wachtten ze hem wel eens op. Hij ervoer het niet als een groot probleem, zei hij. Het ging vanzelf wel weer over.

Ik heb het destijds toch maar gemeld bij de conrector. Die was van mening dat je als school niets kon doen aan rotgeintjes die ergens anders na schooltijd uitgehaald werden.

Toen ik later van zijn dood hoorde, was ik diep geschokt. Hij leek zich ontwikkeld te hebben tot een opvallende en zelfbewuste jongen, die voor niets en niemand bang was. Waarom had hij dit in godsnaam gedaan?

Nog steeds weet ik niet wat hem destijds bewogen heeft. Maar ik zal hem nooit vergeten.

We hebben allemaal wel eens een periode waarin het niet zo lekker loopt als je zou willen. Soms kun je zelfs het gevoel hebben dat het leven alleen maar uit ellende bestaat. Gelukkig zijn er in Nederland instanties waar je met je problemen terechtkunt. De Kindertelefoon bijvoorbeeld, of Bureau Jeugdzorg bij jou in de buurt. Daar werken mensen die naar je luisteren en je willen helpen om een oplossing te vinden. De hulp is gratis en ze melden het ook niet zomaar aan je ouders. Ze hebben geheimhoudingsplicht. Blijf dus alsjeblieft niet in je eentje lopen piekeren als je je diep ongelukkig voelt.